TERREUR GRANDE

DU MÊME AUTEUR

Romans
LA FÊTE INTERROMPUE, Editions de Minuit, 1970.
REMPART MOBILE, Editions de Minuit, 1978.
L'OUVREUSE, Editions Julliard, 1993.
LA ROSITA, Editions Julliard, 1994.
LA SPLENDEUR D'ANTONIA, Editions Julliard, 1996 (Prix Delteil. Prix France Culture).
LE MAÎTRE DES PAONS, Editions Julliard, 1997 (Prix Goncourt des Lycéens. Prix du jury Jean Giono).
L'OFFRANDE SAUVAGE, Editions Grasset, 1999 (Prix des Libraires, Prix Marguerite Puhl-Demange).
AURÉLINE, Editions Grasset, 2000.
LA MÉLANCOLIE DES INNOCENTS, Editions Grasset, 2002 (Prix France Télévisions).
DERNIER COUTEAU, Editions Grasset, 2004.
LE PAYS DES VIVANTS, Editions Grasset, 2005 (Prix Marguerite Puhl-Demange).
TOUT SAUF UN ANGE, Editions Grasset, 2006.
CLAM LA RAPIDE, Editions du Seuil, 2006.
EMILY OU LA DÉRAISON, Editions Grasset, 2007.
L'AMOUR EST UN FLEUVE DE SIBÉRIE, Grasset, 2009.

Récit
RUSSE BLANC, Editions Julliard, 1995.

Théâtre
SQUATT, Editions Comp'act, 1984.
LE ROI D'ISLANDE, Editions Comp'act, 1990.
SIDE-CAR, Editions Comp'act, 1990.
CINQUANTE MILLE NUITS D'AMOUR, Editions Julliard, 1995.
ANGE DES PEUPLIERS, Editions Julliard, 1997.
LES SIFFLETS DE MONSIEUR BABOUCH, Editions Actes Sud-Papiers, 2002.
LA CARPE DE TANTE GOBERT, Editions Actes Sud-Papiers, 2008.

Poèmes
BORGO BABYLONE, Editions Unes, 1997.
LA BALLADE DU LÉPREUX, Editions Unes, 1998.
NOIR DEVANT, Editions Seghers, 2001.

Essai
PRESQUE UN MANÈGE, Editions Julliard, 1998.

JEAN-PIERRE MILOVANOFF

TERREUR GRANDE

roman

BERNARD GRASSET

PARIS

ISBN 978-2-246-74721-5

A la mémoire de mon père qui choisit l'exil à dix-sept ans.

En souvenir de Pavel Moïsevitch Milovanoff, mon grand-père, resté en Russie, qui mourut privé de droits en 1921.

L'homme est plus effrayant que son squelette
JOSEPH BRODSKY

> *Quelle chose étonnante – un dos qui s'éloigne – le dos d'un être injustement blessé qui s'en va pour toujours. Il y a en lui une espèce d'impuissance, une faiblesse qui réclame la pitié, qui vous appelle, qui vous oblige à le suivre.*
>
> M. Aguéev, *Roman avec cocaïne*

A sa mort en juillet 1967, mon père, Pavel Pavlovitch Milovanoff, laissa parmi ses papiers personnels une grande enveloppe cartonnée contenant des coupures de journaux, des lettres, des photographies, des notes diverses en français ou en russe, ainsi qu'une mince brochure en anglais, « *How I escaped the red terror* », signée d'un certain M. I. K. E. Ayant vérifié avec mes frères que ce dossier ne recélait ni « dernière volonté » à respecter, ni recommandation particulière concernant les quelques biens dont nous devions hériter (pour l'essentiel des ouvrages d'astrophysique ou de cristallographie, un florilège des poèmes de Pouchkine, une icône et quelques sculptures en bois), j'emportai ces papiers chez moi et les oubliai pendant quarante ans.

En 2008, le rangement de mes archives me donna l'occasion d'examiner le contenu de l'enveloppe jaunie. Surprise : la plupart des pièces concernaient une famille russe, les Vassiliev, dont j'avais entendu parler dans un passé à l'abandon. Je déduisis d'une note de mon père qu'ils avaient été les plus proches amis de mes grands-parents, à l'époque où les deux familles possédaient des maisons voisines, séparées par des jardins, en Ukraine du Sud. Tandis que les Milovanoff, chassés de leur propre demeure, subissaient la tourmente des années vingt – à l'exception notable de mon père, encore au lycée, qui réussit à prendre seul le chemin de l'exil –, les Vassiliev, protégés par un bolchevik de haut rang, étaient restés en URSS et n'avaient plus donné de leurs nouvelles à partir du milieu des années trente.

La brochure en anglais que j'avais parcourue jadis trop rapidement datait de 1952. Sa lecture réveilla en moi le souvenir en grande partie effacé du séjour chez nous d'un Américain, d'origine russe, que mon père avait accueilli avec amitié. A force de la tourmenter, ma mémoire me livra une succession d'images enfouies sous les feuilles sèches d'une enfance avide et joueuse que nul bonheur n'était parvenu à apaiser. Au fond du grand parc qui entourait notre maison, ce domaine disparu où je retourne si souvent dans mes insomnies, je revis le vieil Américain athlétique traînant à grands pas une jambe raide, au côté de mon père qui s'essoufflait à le suivre. Ou plutôt – je le comprends aujourd'hui – à suivre avec émotion l'histoire que l'étranger lui racontait en russe. Mon rôle dans cette scène était celui d'un idiot en culottes courtes, observateur inutile des tracasseries des adultes. Il me semble néanmoins qu'à l'heure du repas du soir, qu'on appelle communément souper dans le Midi, ma mère excédée par la présence de cet intrus me demanda plusieurs fois d'aller chercher les deux retardataires qui arpentaient le parc en discutant avec passion malgré la nuit noire.

Pendant les repas, l'Américain, faisant preuve d'une bonne volonté sans limites, s'efforçait de compenser son ignorance du français par une approbation excessive de notre modeste cuisine à l'huile d'olive. Exclamations, bravos, larges sourires et souvent aussi (ce qui déplaisait à ma mère) caresses à rebrousse-poil de sa grande main dans mes cheveux taillés en brosse (une coupe dont j'avais honte). Entre les plats, il demandait à mon père de traduire les compliments qu'il adressait à Léonie, ma grand-mère sourde, mais à d'autres moments il fermait longuement les yeux et ne disait rien, puis débitait en russe avec abondance des mots haletants que mon père ne traduisait pas.

Ils sont peu de chose, ces souvenirs, je le reconnais. Un homme qui a refait sa vie en Amérique s'installe chez nous quelques jours, a de longues conversations avec un autre exilé sans qu'on comprenne le sens de ces mystérieux entretiens, puis repart vers son

14

pays d'accueil où il mourra des suites d'une attaque cérébrale. Pas de quoi écrire un roman. Mais depuis quelques années, des mots m'obsèdent – et les millions de tragédies particulières qu'ils désignent. Déportation des koulaks. Tchéka. Kolyma. Holodomor. Charniers de Katyn et de Vinnitsa. Quotas d'exécution. Grande Terreur.

Une autre scène retenue par ma mémoire se situe peu après le départ de l'étranger. C'est l'hiver, un dimanche sans histoire, à l'heure où la famille se rassemble pour le goûter et où, très souvent, des parents éloignés ou de simples voisins se joignent à nous, apportant la galette des Rois ou des oreillettes sucrées. La conversation, ce dimanche-là, porte sur notre invité qui est reparti. Quelqu'un autour de la table le traite d'assassin. Ce mot me frappe parce qu'il s'accorde mal avec le paisible comportement de l'Américain. Mais la voix continue, implacablement :

— C'est vous-même, Paul, qui nous avez dit qu'il a tué de sang-froid un jeune soldat et peut-être d'autres personnes. Je suis surpris que vous preniez la défense d'un criminel...

Terreur grande

Mon père quitte la table et s'approche de la fenêtre. Il allume une gauloise, en tire deux ou trois bouffées, il suit du regard un moineau blotti sous les buis. Derrière la vitre, quelques grappes de flocons volètent entre les platanes.

— Vous ne pouvez pas imaginer... Cet homme a réalisé ce que des millions d'autres ont été empêchés de faire... Et il était l'ami des Vassiliev...

Ce que j'ai perdu est vaste, ma vie n'en fait pas le tour. C'était le bien de tout homme, ce ne fut jamais le mien.

Quand je vais dans une ville ou dans un village oublié, je m'arrête à chaque porte, je parle à chaque maison. « Ce que j'ai perdu est vaste, c'était là, vous le saviez ? Juste contre la fenêtre d'où vous avez regardé. La neige tombait froide et calme, mais les cœurs battaient plus fort que l'horloge de l'enfance tout au haut de l'escalier. »

La neige était froide et calme, mais d'elle que savait-on ? Elle couvrait de silence le commencement et la fin.

Terreur grande

Ce livre est une aventure, un chagrin, un chant qui passe. Il recueille des paroles qui n'ont pas été retenues. Il tient compte de l'Histoire mais demeure épris du réel englouti sous le silence.

Ce qui fut perdu est vaste, nul regard n'en fait le tour. Que l'enfant à la fenêtre voie la neige ou le soleil, ce qu'il garde dans sa paume est une cendre envolée.

> *Et voici que survint cette maudite année 1937, fatale pour des millions d'hommes.*

Evguénia S. Guinzbourg

— Combien ?

— Seize.

— Moins qu'hier donc.

— Les autres fourgons viendront plus tard.

— Alors on n'aura pas fini avant deux heures du matin.

Ce bref dialogue avait lieu dans le cimetière d'une ville d'Ukraine du Sud, ignorée des voyageurs, dont le nom importe peu. En ce début de soirée, Igor Trofimtchouk et Piotr Kotov luttaient contre le sommeil et le froid en tapant des pieds. Ils avaient enfoncé

19

leurs bonnets de grosse laine sur les oreilles. Un trait de givre barrait leurs fronts. Un des fossoyeurs s'efforçait de tirer une dernière bouffée tiède d'un mégot éteint. L'autre semblait hésiter devant la tâche qui les attendait : enterrer dans la fosse commune les seize cadavres que trois jeunes gens en capote militaire avaient déchargés en vrac d'un camion. On était au mois de novembre 1937. Neuf heures du soir. Il faisait trois degrés au-dessous de zéro.

Igor regarda Piotr qui s'éloignait dans la pénombre. Il pensa qu'il partait faire ses besoins derrière un arbre et que ce serait encore cinq minutes de retard mais l'autre fouillait un buisson couvert de neige.

— Qu'est-ce que tu fais ? Dépêche-toi !

— Je ne trouve plus la bouteille. Je l'avais mise là-dessous. On me l'a chipée.

— Si tu imagines qu'un de ceux-là s'est relevé pour boire un coup…

— Ne blasphème pas ! On ne sait pas ce que peuvent les morts. Bien des fois j'ai vu mon petit Serguéï jouer avec les enfants du quartier. Il portait une blouse jaune et une casquette. Quand je m'approchais doucement pour lui jeter un manteau sur les épaules, il n'y avait plus que des feuilles qui tourbillonnaient contre un mur.

— Laisse la bouteille où elle est. Tu as déjà ton compte !

— Il me faut un coup de vodka avant de commencer.

— Hier tu disais pareil. Un petit coup ! Et puis un autre et un autre. Tu ne t'arrêtes plus. Si je n'avais pas été avec toi, tu aurais dormi ici, on t'aurait retrouvé gelé !

Une exclamation signala à Igor que la bouteille était réapparue par enchantement. Le diable l'avait relâchée ! Piotr revint vers le tas en la serrant dans les bras comme une poupée. Ses doigts étaient gourds, il craignait de la faire tomber dans la nuit, de la perdre comme il avait déjà perdu tant de choses. Cette crainte ajoutée à ses autres peurs et à sa tristesse creusait sa face grise, mal rasée.

— Aujourd'hui c'est un jour particulier. Notre Sergueï est mort, il y a juste un an. J'ai acheté une bougie cet après-midi et je l'ai mise devant sa photo. Olga m'attend pour l'allumer et dire une prière avec moi. Ce n'est pas que j'y croie beaucoup, mais si ça lui enlève du chagrin…

— Magne-toi ! On prend du retard.

— Tu n'en veux pas une gorgée ?

— Une petite alors, puisque tu as sorti la bouteille… Mais après il faudra s'y mettre…

Pendant un moment ils se tinrent face à face, sans dire un mot. L'un des deux, peut-être Igor, fit claquer sa langue, l'autre frissonna. Ils se connaissaient depuis quinze ans, travaillaient ensemble depuis dix. Chacun savait par cœur l'histoire de l'autre mais ne protestait jamais quand il l'entendait raconter encore une fois.

— Ce que je ne comprends pas, dit Piotr, ragaillardi par le mauvais alcool qui lui brûlait l'estomac, c'est pourquoi on ne les enterre pas dans la campagne comme à Vinnitsa. Personne n'en saurait rien. On creuse de grandes fosses, on pousse les corps dedans et on les recouvre. Ni vu ni connu. Et c'est ce qu'il faut, non ?

— Si tu réfléchissais avant de parler ! A Vinnitsa, on emmenait les gens vivants dans des camions. On les faisait descendre un à un, les mains attachées dans le dos. On les alignait devant la fosse. Une balle dans la tête, et ils s'écroulaient. Même que souvent ils bougeaient encore au fond du trou.

— Ici, pourquoi on ne fait pas la même chose ?

— Réfléchis un peu, je te dis ! Tu crois que c'est facile à organiser, les exécutions en plein air ? Il en faut des soldats et des camions ! Transporter les corps est plus simple.

— Ce que je disais, c'est à cause des gens qui entendent passer des convois, ils voient des phares dans le cimetière. Le matin, quand je croise des ouvriers de l'usine de chaussures, ils me demandent ce qui se passe.

— Ne t'avise pas de jaser ! Tu sais ce qu'on nous a dit. Personne ne doit rien savoir. Le moindre mot, et c'est notre tour !

— Je ne suis pas fou ! D'abord je ne les connais pas, ces ouvriers ! N'empêche que c'est dur de garder un secret comme celui-là. Même à Olga, je dois mentir.

— Tu fais bien. Ta femme ne doit rien savoir.

Ils chargèrent le premier corps sur la large brouette glacée et le firent basculer dans la tranchée qu'ils avaient ouverte l'après-midi.

Ils savaient ce qu'ils devaient faire et ne parlaient pas. C'étaient des professionnels. Ils avaient pris l'habitude devant les familles de s'interdire toute remarque sur les défunts. Cette nuit-là, il n'y avait ni parents ni proches, ils auraient pu se permettre d'observer que les morts d'âge différent portaient la même plaie derrière la tête. Mais ils se taisaient. Et ce silence partagé rendait plus oppressant encore le labeur qu'ils accomplissaient clandestinement. Pour ces deux hommes habitués à manier des cercueils au milieu des sanglots et des larmes refoulées, il était étrange d'agir seuls, à la sauvette, hors de tout regard et de tout chagrin familial, d'être les uniques témoins de cet acte définitif : l'enfouissement pour l'éternité des restes d'une personne.

Une seule fois, l'extrême jeunesse d'une frimousse qui semblait sourire avec insolence à la mort au milieu des visages ensanglantés attira une exclamation de Piotr :

— Il n'est pas lourd, celui-là !

A l'évidence, ce n'était pas la légèreté du corps qui le chiffonnait mais la question de savoir ce qu'un gamin avait pu faire pour mériter une balle dans la nuque.

Igor, qu'il eût compris ou non l'intention de son collègue, répéta machinalement :

— Pas lourd, en effet !

Après une dizaine d'allers et retours du tas à la fosse, Piotr déclara de nouveau qu'il avait besoin de boire un coup, il tira la bouteille de sa poche et la porta à sa bouche. Igor, qui l'avait empoignée à son tour, se contenta d'une gorgée qu'il savoura en plissant les yeux. Pour la troisième fois il dut entendre l'histoire de la bougie. Mais cette fois la suite était différente.

— Cet après-midi, je voulais décorer la tombe de mon Sergueï, j'avais pris quelques kopecks pour acheter une fleur à la vieille Zinaïda. Impossible de la trouver !

— Cela fait cinq jours qu'on ne la voit plus devant la grille, elle doit être malade.

— Je me demande si ce n'est pas à cause de ces inhumations de nuit qu'elle ne se montre pas.

— Y a pas de raison.

— Bien sûr que si. Elle ne peut rien vendre si la famille n'est pas là. Elle m'en a parlé la semaine dernière. Ce qui l'étonne, c'est que tous ces morts aillent à la fosse commune. Il n'y a donc personne pour s'en occuper, qu'elle m'a dit.

— Qu'est-ce que tu lui as répondu ?

— Que c'était un secret.

— Ce n'était pas la bonne réponse ! Tu aurais dû dire qu'elle se trompait, qu'on n'avait enterré personne dans la fosse. Tu es con ou quoi ?

Ils se remirent au travail, avec lassitude. Piotr sentait que son camarade était inquiet et il se demandait pourquoi. Bien qu'il fût un peu plus âgé, et qu'il eût une expérience des malheurs plus étendue, il considérait qu'Igor avait plus de jugement. Un homme sensé qui ne s'enivrait jamais et savait comment répondre aux questions sans fâcher les gens. Raison de plus pour lui expliquer son comportement.

— Comment aurais-je pu mentir à Zinaïda ? Elle est tellement gentille, tellement douce. On se voit tous les jours. Elle est comme une mère pour moi. Des fois, sans que je le lui demande, elle nettoie la tombe de mon Sergueï. Elle pose une fleur dessus.

Pourquoi lui cacher la vérité qu'elle avait devinée ? Ce n'est pas quelqu'un à aller chercher la milice.

— Elle n'aura pas à le faire. C'est la milice qui la cherchera. Et après, ce sera nous. Les idiots comme toi, on ne peut pas leur faire confiance.

Il ne restait plus qu'un corps à enfouir. Une femme aux cheveux collés en touffes par le sang noir. Ils se penchèrent pour vérifier s'ils la connaissaient, puis la chargèrent sur la brouette sans parler. Non, ce n'était pas Zinaïda, la vendeuse de fleurs en tissu, disparue depuis cinq jours. Un soulagement, malgré tout.

— A partir de maintenant, plus un mot, compris ? Tu n'as rien vu, tu ne sais rien, tu fais le travail de tous les jours, il n'y a rien de changé pour toi. Si quelqu'un te demande ce qui se passe la nuit, tu réponds que tout est normal !

— Mais qu'est-ce que tu crois ? Tu sais bien que je n'ai rien dit.

Le dernier corps tomba dans la fosse. Piotr resta un moment immobile, près de la brouette, indécis et désolé. Puis il déboucha la bouteille.

A l'entrée de l'allée qui menait au cimetière, des phares signalaient l'approche d'un autre fourgon chargé de cadavres.

Malgré les exécutions quotidiennes, l'immeuble du NKVD, une ancienne caserne de la cavalerie blanche, que les tchékistes appelaient entre eux « le Carrousel », regorgeait de monde. Dans les cellules individuelles de mise au secret où cohabitaient en moyenne cinq prisonniers, il y avait seulement un tabouret et deux lits en fer qui devaient être rabattus contre le mur dès le matin. Certains couloirs étaient encombrés de détenus qui attendaient avec anxiété leur premier interrogatoire. Beaucoup étaient persuadés qu'il y avait erreur sur la personne et qu'ils établiraient rapidement leur innocence. S'ils avaient été dénoncés par un envieux, une simple confrontation les blanchirait. Les anciens membres du parti, désormais privés de cartes, se demandaient (avec une naïveté qui amusait les petits délinquants) quelle négligence les avait conduits là, mais leur confiance dans Staline n'était pas ébranlée et ils se rassuraient en pensant que, tôt ou tard, ils retrouveraient leurs privilèges. Seuls quelques solitaires bien renseignés ne se faisaient pas d'illusion sur leur avenir. Mais ceux-là aussi espéraient. Sinon ils auraient cessé de respirer et auraient roulé sur le sol.

Les femmes occupaient une aile à part dans le Carrousel. En ce mois de novembre 1937 où la Iejovschina[1] déchaînait une suspicion généralisée, une soixantaine de prisonnières se trouvaient logées dans une salle humide, basse de plafond, éclairée jour et nuit par un projecteur. Elles étaient assises côte à côte sur des bat-flanc ou couchées à même le sol, recroquevillées par le froid, frissonnantes de fièvre. Femmes de tous âges, de toutes conditions, arrêtées de nuit,

---

1. Vague de terreur décidée par Staline et organisée par Nicolaï Iejov. Elle dura seize mois (août 1937-décembre 1938) et coûta la vie à près d'un million de personnes.

subrepticement, sans nouvelles de leurs
maris ou de leurs fils dont on leur disait
qu'ils avaient avoué des crimes monstrueux.
La plupart ignoraient pourquoi elles étaient
là. Certaines avaient appris qu'on les accu-
sait de faire partie d'un réseau d'espions à la
solde de l'Allemagne, du Japon et de l'Angle-
terre, pays lointains qu'elles n'auraient su
indiquer sur une carte. Parmi ces prisonnières qui ne s'étaient jamais mêlées de politique, trop occupées par les problèmes
quotidiens, il y avait des paysannes qui
comptaient en pliant les doigts et de jeunes
diplômées, des optimistes et des dépressives,
deux ou trois malades mentales, une vaga-
bonde couverte de poux, des couturières,
des épouses d'ingénieurs exilés en Sibérie,
des mères séparées de leurs enfants, des
babouchkas. Il y avait aussi des mouchardes
qui avaient reçu des instructions précises de
l'enquêteur Romanenko. Extérieurement,
rien ne les distinguait des autres écrouées.
C'étaient des femmes du peuple, qui souf-
fraient comme les autres de la pénurie de
pain et de lait, et qui avaient accepté pour
quelques roubles de tromper leurs com-

pagnes d'infortune. A défaut de confidences spontanées, elles s'efforçaient d'obtenir de tristes secrets par des questions maladroites qui les trahissaient. Ironie féroce de l'histoire, Romanenko avait déjà annoncé à ses collaborateurs qu'il éliminerait ces auxiliaires, aussitôt leur besogne faite (mais ce planificateur plein de zèle n'avait pas prévu sa propre exécution au petit matin, dans une cour glacée, quelques semaines après la chute de Iejov).

A toutes les heures de la nuit, la porte de fer s'ouvrait en grinçant, un gardien aux pommettes rouges, puant le chou, gueulait le prénom et le nom de telle ou telle détenue réclamée par un instructeur. La femme appelée se levait sans bruit en laissant par superstition un linge à sa place pour marquer qu'elle reviendrait, qu'elle n'allait pas à la mort. Geste inutile. Aussitôt qu'elle était sortie, la rangée qu'elle avait quittée se desserrait, ses voisines respiraient mieux et les chuchotis reprenaient, les gémissements, les sanglots. Quelquefois un cri.

Terreur grande

— Après elle ce sera mon tour, se plaignait Ekaterina, une femme belle, assise près de la porte. J'en suis certaine, je le sens. Sauf que moi je n'ai rien fait. Je suis innocente. Pourtant ils ont dit qu'ils viendraient me chercher encore ce soir. Et encore demain et après-demain. Jusqu'à ce que l'affaire soit tirée au clair. Tout ça parce que j'ai des parents en Allemagne. Mais qu'est-ce que j'y peux ? Le mois dernier, ils m'ont envoyé des friandises. Voilà ce qu'ils n'auraient jamais dû faire. Je n'avais rien demandé.

— Calmez-vous ! répétait sa voisine. La nuit sera longue. Il ne sert à rien de crier. Il vous faut garder des forces. L'énervement vous affaiblit.

— Les forces ne servent à rien, prétendait une troisième qui avait les manières insidieuses d'une moucharde. Au lieu de se plaindre, il faut dire la vérité. A quoi bon cacher ses fautes ? Recevoir des colis de Hitler, ce n'est pas rien !

— Mais il n'y avait que des biscuits et du chocolat dans le colis !

— Avec quoi croyez-vous qu'on paie les espions et les saboteurs ?

— Je vis seule avec mon petit-fils paralysé. Qu'est-ce que je pourrais espionner ?

— Allez-y ! Dites qu'il n'y a pas de saboteur et que tout va bien ! Quand je lis les journaux, je constate qu'il y a l'abondance partout. Nos kolkhozes produisent du beurre et de la viande comme les capitalistes n'en ont pas. Les ouvriers vivent dans des logements aérés. On les voit attablés en famille devant des volailles. Ici, rien. Pas de viande, pas de lait. On manque de tout. On n'a même pas du pain tous les jours, et quand on en a, il contient de la paille et des saletés. A qui la faute ? A ceux qui sabotent la production !

— Je suis plus âgée que vous, intervint une femme qui n'avait encore rien dit. J'étais déjà adulte en 1900. Il y avait beaucoup de pauvres et la vie était dure. Mais vous auriez vu l'Ukraine au printemps ! Les champs de blé à perte de vue, les troupeaux de vaches, les oies qu'on faisait rôtir pour fêter la sainte Pâque et les gâteaux que nous préparions en commun. Personne n'était laissé à la porte.

Terreur grande

Les vagabonds partageaient la kacha d'avoine avec nous. C'est que nous étions fiers d'être le grenier de la Russie. La famine était impossible...

— Vous, je vous vois venir de loin. Vous êtes une provocatrice ! Vous nous incitez à insulter les dirigeants. Avec moi, ça ne marche pas. J'ai déjà eu affaire à des Judas de votre espèce.

— Vous vous trompez complètement. Je ne cherche pas à vous nuire. Je dis ce que j'ai vu et ce que je sais. L'Ukraine n'était pas un pays affamé avant qu'on déporte les paysans et qu'on interdise le commerce. N'importe quelle femme de mon âge vous le confirmera.

— Si vous n'êtes pas un mouton, taisez-vous ! Il n'est pas bon de parler aussi librement. Peut-être qu'il y a ici des personnes qui rapporteront vos paroles. Le mois dernier, en faisant la queue, j'ai dit que j'avais les jambes lourdes à force de rester debout pendant des heures. Hier l'instructeur m'a lu le témoignage de quelqu'un qui est allé répéter mes paroles en y ajoutant des calomnies.

Terreur grande

— Moi, ce qui m'a perdue, soupira soudain une femme au visage enfoui dans un châle, c'est mon amour de la langue russe. J'aime qu'on parle autour de moi, qu'on me rapporte des anecdotes. Chaque semaine, j'invitais des amis chez moi. Sept ou huit. Toujours les mêmes. On se lisait des poésies, on chantait, on disait des bêtises. Un soir mon cousin d'Odessa a raconté une histoire juive. J'étais occupée à laver des tasses, je ne l'ai pas entendue ! La blague n'était même pas drôle, à ce qu'on m'a dit. Mais il y était question de jeunes gens qui, n'ayant rien à mettre dans la poêle, faisaient frire des moustaches. D'abord j'ai été arrêtée pour avoir menacé un dirigeant, puis on m'a reproché d'organiser des réunions en vue de préparer des attentats. Comment sortirai-je d'ici à présent ? Il n'y a pas d'accusation plus grave. J'ai peur qu'on me tue. Pourtant je vous jure que j'étais occupée à l'évier, je n'avais rien entendu...

— Et moi donc ! Avec qui et de quoi pourrais-je me moquer ! Je vis seule avec cet enfant. Les docteurs disent qu'il ne marchera jamais. Si je parle à quelqu'un, c'est pour savoir où se procurer du lait, la seule nourriture qu'il supporte. Le mois dernier, je suis restée une semaine sans en trouver. Il ne mangeait plus. J'ai dit à une femme dans le tramway que, si ça durait encore deux jours, il mourrait de faim. Et ce matin l'instructeur m'a montré la lettre où cette personne prétend que j'ai accusé Staline d'assassiner les enfants.

— Si vous êtes innocente, vous ne risquez rien. Mais peut-être que vous êtes coupable sans le savoir. Supposez qu'il y ait autour de vous des espions et que vous les protégiez à votre insu. Vous avez surpris des conversations louches, remarqué des anomalies, mais vous ne les avez pas dénoncées. Votre passivité vous a rendue complice d'un réseau. Observez vos colocataires. Notez leurs rendez-vous. Retenez le nom des gens qu'ils fréquentent. Voyez s'ils ne reçoivent pas clandestinement des étrangers. Ou s'ils ne sortent pas pour aller à des réunions. Les ennemis pullulent dans le pays.

— De beaux salauds, oui. Et qui savent bien se cacher ! La semaine dernière, on a arrêté mon voisin. Un ouvrier de l'usine de chaussures. En apparence, il n'y avait pas plus gentil. Il fabriquait des bracelets avec des rebuts de cuir et nous les offrait. Qui aurait pensé qu'il formait un réseau d'ennemis du peuple avec sa femme et son fils aîné ? D'abord il a tout nié. Mais après trois nuits sans sommeil il a reconnu qu'il tailladait les semelles des bottes pour qu'elles prennent l'eau lorsque les soldats auraient à marcher dans la neige. Sur les bracelets, il gravait des messages que déchiffraient les membres de son réseau. Pour des criminels comme ça, je dis que la mort ce n'est pas assez !

— Si encore on savait ce que deviennent les gens arrêtés ! J'avais un mari et deux fils. Disparus tous les trois ! Et plus de nouvelles d'aucun. Où est le progrès ? Pour mon mari, un ancien marin, bolchevik dès 1915, voilà comment les choses se sont passées. Un soir, il a boxé un commissaire qui l'avait traité de bandit. Je ne dis pas qu'il avait raison de se battre, mais le commissaire mentait. Le lendemain, les miliciens sont arrivés en camion, armés de fusils, pour l'arrêter. Après quoi, je ne l'ai plus jamais revu et chaque fois que je faisais une demande auprès des autorités :

« Ah c'est vous, la femme de Tsyganov ? Il n'y a rien pour vous ! » Voilà tout ce que j'obtenais.

— On connaît cette histoire-là. Vous nous l'avez racontée hier.

— Attendez ! Je vous dis la suite à présent. Mon fils aîné, ce cher Vassili, quasiment un saint, a voulu suivre son père en Sibérie. J'ai pleuré pendant un mois sans interruption et j'ai attendu son retour. Huit hivers sans nouvelles de mon enfant. Huit longues années à me morfondre de ne pas savoir s'il vivait ou non. Et puis un matin je reçois une lettre qui m'apprenait que j'étais veuve, et que Vassia était mort aussi, en laissant des dettes qu'il me fallait payer. Là-dessus, mon autre fils écrit une lettre à Staline pour lui apprendre la situation. Huit jours plus tard, en pleine nuit, j'entends des coups à la porte...

— Taisez-vous ! déclare soudain une femme sans âge ni sexe qui n'a pas encore parlé. Je veux dormir. Ne plus jamais me réveiller. Vous n'avez pas connu le pire. N'importe qui peut avouer qu'il est le roi du Portugal si on le laisse au cachot de correction quarante-huit heures. C'est une cabine sans ouverture, un cercueil debout, impossible de s'asseoir. J'y ai tenu une journée. Au début on crie, ensuite on se tait pour garder des forces. Tous les cachots de la cave sont pleins. Dans celui qui était en face du mien, il y avait un homme qui... un homme qui...

Elle ne put continuer. Aussi violents ou obscènes que soient les mots, ils se réfèrent à un ordre qui reste humain. Ce qu'elle avait entendu à travers les parois de briques de son cachot ne l'était pas. Il y eut un silence effrayant. Un silence comme une vitre tachée de sang, derrière laquelle une silhouette luttait pour garder son visage d'homme.

Une jeune fille éclata en sanglots. Sa voisine lui posa la main sur le bras. « Calme-toi ! Tu n'as rien à craindre. Il faut du temps pour vérifier les dénonciations. Bientôt tu retourneras chez toi ! »

La porte s'ouvrit. Un soldat qui titubait réclama Zinaïda Nilova. La vieille femme se leva, se fraya un chemin à travers les corps, se retourna pour vérifier que la jeune fille séchait ses pleurs, et dit simplement au soldat :

Terreur grande

— On m'a interrogée deux fois depuis ce matin. A quoi ça sert de me reposer les questions auxquelles j'ai déjà répondu ?

— Dépêchez-vous ! Ils sont furieux là-haut. Rien ne va jamais assez vite. Et ils disent que c'est nous qui les retardons !

Ce même soir de novembre 1937, le capitaine Anton Semionovitch Vassiliev était rentré chez lui pour faire un brin de toilette et changer de chemise avant de ressortir. Cette coquetterie intime, vestige des anciennes habitudes d'élégance de sa famille au temps de ses prospérités, lui semblait aussi nécessaire que de respirer de l'air frais quand on étouffe dans la fumée des cigarettes. Tout l'après-midi il avait travaillé dans un bureau mal aéré, au troisième étage de l'immeuble du NKVD, rassemblant des fiches, dictant du courrier, apposant son nom et sa signature sur les dossiers que contresignait son chef, Arkadi Gromov, un fils de boucher, dont le principal mérite, sinon le seul, consistait à ne jamais s'enivrer pendant le service.

Tout en se tapotant les joues de ses doigts mouillés, Anton Semionovitch, comme chaque fois que l'avenir lui paraissait noir, se rappelait par quel miracle immérité le destin l'avait propulsé à un poste non négligeable, alors que sa famille, comme celle de leurs ex-voisins les Milovanoff, appartenait de plein droit à ces « gens du passé » que persécutait le gouvernement.

Le docteur Semion Vassiliev, le père d'Anton et l'ami de mon grand-père avant la Révolution, portait une arme sur lui quand il fut arrêté dans la rue. L'intervention d'un héros de l'Armée rouge, le capitaine Markov, à qui le médecin, l'année précédente, avait extrait une balle de la poitrine le sauva. Le bruit avait couru alors que les cajoleries de la femme du docteur avaient été, pour l'officier, un aiguillon plus efficace que la gratitude. Plus tard, ce même Markov, devenu général, avait payé sa dette une seconde fois en ouvrant au bel Anton une carrière inespérée dans la police politique.

Terreur grande

Bien qu'il n'eût pas les compétences requises pour ce métier, car sa mère, une ancienne comédienne d'Odessa, l'avait encouragé à faire des études de théâtre, le jeune capitaine ne jugeait pas déshonorant de soutenir le train de vie des Vassiliev en luttant pour débarrasser le pays de ses saboteurs à la solde de l'étranger. Croyait-il réellement à l'existence de ces ennemis intérieurs que *La Pravda* comparait à des poux envahissants ? C'est peu probable. Mais du moment qu'il réservait ses doutes aux conversations entre amis, il n'avait aucune raison (et cela aurait été dangereux) de renoncer à une position enviée. Au demeurant, s'il lui arrivait de mener des interrogatoires retors dans le but de découvrir des complots imaginaires, il n'était pas chargé d'obtenir des aveux par la violence ni d'accomplir de basses œuvres, il y avait des exécuteurs pour cela, des hommes frustes dont la seule vue inspirait de l'effroi. Son rôle dans la section locale du NKVD était de rassembler les preuves d'une culpabilité ou d'une complicité, et de les transmettre hiérarchiquement aux juges de la troïka qui en auraient besoin pour châtier ou pour acquitter. A dire vrai, les acquittements étaient aussi rares que la canicule en janvier. Quant aux châtiments, une lâche pudeur avait conduit à remplacer depuis longtemps la sentence « peine de mort » par « condamnation en première catégorie », tandis que la formule « seconde catégorie » signifiait l'envoi dans un camp de Sibérie pour dix années. En dépit de ces adoucissements linguistiques, Anton s'efforçait de ne pas se représenter de manière trop réaliste les effets de sa signature sur un document : exécution immédiate ou dépérissement à court terme en raison du froid, de la faim, de l'isolement et des maladies.

Il achevait de se vaporiser le cou avec une eau de Cologne française provenant du magasin réservé aux cadres, lorsque sa mère passa la tête dans l'entrebâillement de la porte.

— Veux-tu qu'Evguénia t'apporte du thé ?

— Non merci.

— Je te dérange ?

— Au contraire. J'allais venir te dire bonsoir avant de sortir.

Anna Vassilieva se glissa dans la pièce avec l'autorité hésitante d'une personne qui redoute d'être importune tout en étant résolue de l'être quoi qu'il arrive. Anton qui observait sa mère dans le miroir remarqua qu'elle portait la longue robe de velours noir à col brodé qu'elle appelait « Lady Macbeth ». Anna avait sauvé quelques vêtements datant de ses derniers succès et elle leur donnait des noms de rôle. « Lady Macbeth » avait des manches piquetées de taches de rouille, mais pouvait encore faire illusion.

— Tu travailles cette nuit ?

— Et aussi demain et après-demain. Et ainsi jusqu'à la fin du mois. En ce moment, il y a tellement à faire qu'on n'arrive pas à *écluser*.

Spontanément il avait eu recours au jargon bureaucratique de Gromov, il en eut honte. Ecluser était le mot odieux dont se servait son chef pour dire « traiter un dossier », traitement qui s'achevait deux fois sur trois par une balle dans le cerveau. Mécontent de son lapsus, il se leva pour secouer la poussière invisible de cette contamination par le langage. Anna crut qu'il allait l'embrasser mais il se dirigea vers la porte qu'elle avait laissée ouverte et il la ferma d'un coup sec, après avoir vérifié qu'Evguénia ne traînait pas dans le couloir.

Alors ils se trouvèrent face à face, soudain très proches. La mère esquissa un sourire inquiet qui la fit paraître fragile. Brusquement elle leva la main vers la tête de son fils. Il sursauta.

— Qu'est-ce que c'est ?

— Un cheveu gris. Ton père les a eus blancs d'un coup. Pourtant nous étions heureux dans ce temps. J'y pense souvent.

C'était le genre de conversation qu'Anton n'avait pas envie de poursuivre avant de sortir. Le bonheur était un mot dont il ne voyait pas l'usage et la couleur des cheveux un problème personnel. Quant à l'image du grand médecin contraint de s'humilier devant des moujiks pour sauver sa peau...

— Il y a une chose que tu dois comprendre, maman. On ne peut pas vivre dans le passé.

— Tu as raison. On ne peut pas. Mais qu'ai-je d'autre que des souvenirs ? A part toi.

Il alla décrocher de la patère son long manteau de cuir noir grâce auquel, au premier regard, les gens dans la rue savaient qu'il était tchékiste et s'écartaient. Pour se distinguer des subordonnés, il avait fait ajouter un col d'astrakan, sa fourrure préférée. Il la renifla par habitude avant de passer la première manche. Dans son dos sa mère continuait un soliloque déjà maintes fois entendu.

— Je ne suis pas raisonnable. Tous les metteurs en scène me l'ont dit. De l'intuition, mais peu de jugement. Ce n'était pas un handicap. Quand on joue, on ne doit pas trop réfléchir. C'est avant, pendant le travail préparatoire, que l'on se pose des questions. Une fois lancée, il est trop tard, on y va, on ne prend pas de recul. Si le texte est bon, il suffit de le dire et on est sauvée ! Sinon, on a l'air d'une idiote, on s'agrippe aux directives et l'on avance vers la sortie. Ou le peloton d'exécution. Franchement, quel rôle tu me vois tenir dans le futur ?

— Je ne sais même pas de quoi tu parles. Du théâtre ou de la vie ?

— Normal que tu ne comprennes pas. Tu es si occupé. Tu n'as pas le temps de t'ennuyer. Mais moi, je remplis mes heures avec quoi ? Tous les jours je vais sur la tombe de ton père. Ce n'est pas une consolation. C'est un apaisement. Comme s'il me parlait à travers la terre gelée... Tu peux comprendre cela ?

— Bien sûr.

— Par bribes, mais ces bribes sont un trésor, des journées d'autrefois me reviennent avec leurs couleurs et leurs bruits. Les promenades en forêt, les baignades dans la rivière, l'heure du thé quand Fedossia nous chantait des airs d'Offenbach. Et puis ce jour où, à table, dans la véranda des Milovanoff, nous fêtions un anniversaire et quelqu'un a dit du docteur Vassiliev que c'était un saint moderne, un Pasteur russe. J'ai éclaté en sanglots et tout le monde a deviné que j'étais tombée amoureuse.

— Je sais, maman.

— Quand je pense à tout ce que nous avons perdu : les conversations, les manières, le goût, l'insouciance. La beauté. L'art de dire en passant les choses profondes et de s'attacher aux détails qui ne sont pas toujours superficiels. Nous aimions les récits de Tourgueniev, Tchekhov, l'opéra. Au printemps nous prenions les eaux à Vichy, en automne à Baden Baden. Des poètes, des peintres fréquentaient notre maison à Odessa. Isaac Babel que ton père avait guéri nous lisait ses récits pas encore publiés. Mon cousin germain jouait les sonates de Scriabine et des pièces de Ravel. Qui aurait imaginé qu'une telle catastrophe puisse nous tomber dessus ? Nous pensions être protégés par la supériorité de notre culture. Ton père était vénéré de toute la ville. Quand on a pillé la maison, c'est notre babouchka et Stepan le jardinier qui nous ont défendus en risquant leur vie…

— Je connais cette histoire-là. Nous en reparlerons une autre fois.

— Aujourd'hui la moindre pensée est un ordre gueulé à des subalternes. Même entre amis, la méfiance s'installe, la peur qu'ils citent notre nom ou qu'ils aient des ennuis à cause de nous…

— Il faut que je parte. Je suis pressé…

— Juste un mot. Chaque matin, devant le portail du cimetière, j'achète une fleur en tissu à une pauvre femme qui n'a rien pour vivre. Souvent, elle m'aide à balayer la neige sur la tombe. Nous parlons du temps qu'il

fait, du froid, du gel, et aussi des morts. Rien
de plus. Rien de moins.

— Eh bien ?

— Depuis cinq jours elle a disparu.

Anton qui avait fini de se boutonner et
tenait dans la main droite sa chapka, prêt à
sortir, retourna s'asseoir devant la coiffeuse.

— N'en dis pas plus ! Tu voudrais que je
retrouve cette fugueuse ! Ce n'est plus à ton
fils que tu t'adresses mais au capitaine Vassiliev. Sache que je suis prêt, pour te faire plaisir, à me teindre les cheveux et à te donner la
réplique si, un de ces soirs, tu veux lire à tes
amies *La Demande en mariage*, mais en tant
que capitaine j'ai pour mission de débusquer
les ennemis du peuple soviétique, pas de
ramener au bercail des écervelées.

Anna l'écouta réciter son texte sans
se troubler. Elle n'était pas fâchée de le
voir tenir son rôle avec conviction. Elle
l'avait bien éduqué. Quand il était très jeune,
chaque soir près de son lit, elle lui lisait
des extraits des grandes pièces du répertoire,
en changeant sa voix pour différencier les
personnages. L'enfant ne pouvait pas com-
prendre l'enjeu de ces drames d'adultes mais

il avait retenu la grande leçon du théâtre. Un jour peut-être, quand la Russie redeviendrait ce qu'elle avait été avant le désastre, il quitterait son emploi indigne et découvrirait sa véritable vocation. Ah ! Si elle pouvait, avant de mourir, avoir la joie de jouer dans la même pièce que lui. Que de fois elle avait rêvé que son fils, si séduisant, si fin, tienne le rôle de Fortunatov dans *La Forêt* d'Ostrovski, un des plus beaux du répertoire russe ! Au premier acte, Fortunatov se présente inopinément chez sa tante, un Tartuffe en jupons (qu'elle incarnerait elle-même). L'arrivant (Anton) est habillé en officier, une ordonnance l'accompagne. En réalité les deux compères sont des acteurs ambulants au bout du rouleau, des crève-la-faim qui ont endossé un uniforme de scène pour éblouir la redoutable dévote.

— Que veux-tu que je fasse, maman ? Que j'enquête sur cette dame qui a découché…

— Tu n'es pas drôle. Zinaïda a probablement été arrêtée. D'abord j'ai cru qu'elle était malade. Je suis allée chez elle…

— Qui t'avait donné son adresse ?

— Un fossoyeur.

52

Avec une vivacité à laquelle sa mère ne s'attendait pas, il sortit de la poche de son manteau un calepin et un minuscule crayon.

— Son nom ?

— Je ne le sais pas.

— Décris-le-moi ?

— Cinquante ans. Petit. Maigre. Chauve. Voûté.

— Continue ! Tu t'es rendue chez cette femme dont tu n'as pas à t'occuper...

— Je pensais la trouver couchée avec de la fièvre. Je voulais savoir si elle avait besoin de quelque chose. J'avais emporté un peu de thé et des citrons, une chose rare pour elle. Elle habite loin d'ici, dans un appartement communautaire qui a été autrefois la propriété de sa famille. Il y a une dizaine de locataires, plus les enfants. Elle partage une chambre avec une cantinière beaucoup plus jeune auprès de qui je n'irais pas m'asseoir dans le tramway. Cette fille m'a dit que sa voisine de lit n'avait plus été aperçue depuis cinq jours, elle s'en réjouit.

— Pour quelle raison ?

— Une personne de moins. Quelques mètres carrés de gagnés. La vieille n'a pas d'amies dans l'appartement, elle fait partie des « gens du passé », une ennemie de classe par définition. De plus elle aurait la mauvaise habitude, en faisant la cuisine sur le réchaud, de marmonner des phrases sans suite qui gênent le voisinage. Quand on lui demande ce qu'elle raconte, elle dit que ce sont des poèmes écrits dans des langues étrangères.

— Ainsi tu as parlé à une moucharde qui pourra témoigner contre toi.

— Qu'est-ce que j'ai fait de mal ?

— Tu as soutenu en public une personne que nous avons arrêtée. Si on la coffre, il y a des raisons ! Suppose qu'elle avoue avoir dirigé un réseau financé par les Allemands, nous serons dans de beaux draps !

— Ne me dis pas que tu crois qu'elle pourrait être une espionne !

— Je crois ce qui me plaît ! Ce qui me déplaît, je le crois aussi quand il serait trop dangereux de ne pas le croire. C'était si utile que ça de te rendre chez une suspecte ?

— Il n'y a pas que l'utile dans la vie.

— Qu'est-ce qu'il y a d'autre ?

— La honte.

— Excuse-moi ! Le chauffeur m'attend. Il faut que j'y aille.

Anton avait rempoché calepin et crayon, et s'était levé. Anna s'écarta de la porte, mais elle n'abdiquait pas. Il lui restait à dire le plus important.

— J'ai pensé que tu pourrais aider cette pauvre femme...

— De quelle façon ?

— En téléphonant au général Markov...

— Oublie ce nom, tu feras bien.

— C'est lui qui nous a sauvés !

— Autrefois, oui. Mais ce n'est pas le moment de se souvenir de lui. Il vient d'être arrêté en même temps que le maréchal Toukhatchevski...

Le commandant Arkadi Trophimovitch Gromov, le chef redouté du NKVD d'Ukraine du Sud, qui se flattait d'avoir fait fusiller des enfants bien avant le décret signé de Staline et de Molotov autorisant les exécutions à partir de treize ans, marchait d'un mur à l'autre dans son bureau en cherchant sur quoi ou sur qui il ferait tomber sa fureur. En six minutes – la durée d'un appel téléphonique de Moscou – le contentement de soi qui était son humeur ordinaire, amplifié ce soir-là par la certitude de finir la nuit avec une danseuse caucasienne, avait fait place à l'humiliation et à la peur. Nicolaï Iejov en personne, l'oreille et le bras armé de Staline, l'avait menacé de sa voix caramélisée en des termes tels qu'il n'osait pas se les redire. Son prétexte? Le service que Gromov se flattait de diriger d'une main de fer ne se livrait pas à une recherche approfondie des réseaux de comploteurs dirigés de l'étranger. Certes, sur le papier, sa région avait atteint et parfois dépassé les quotas de terroristes fixés par le Centre, elle figurait en bonne place pour le nombre des condamnations en première catégorie. Poudre aux yeux! Manipulation et trucage! L'examen attentif des dossiers transmis à Moscou révélait des enquêtes bâclées, peu d'aveux et des cas bénins, individuels. Qu'un ancien peintre d'icônes, monté sur un guéridon, pisse suffisamment haut pour souiller le portrait d'un grand dirigeant, on pouvait le considérer comme une atteinte au patrimoine pictural et un acte d'exhibitionnisme, mais cela ne concernait pas la sécurité de l'Etat. La guerre contre l'ennemi intérieur exigeait des coups de filet étendus. Rien de tel dans les dossiers traités par Gromov. Pas de viviers de saboteurs! Pas d'infiltrations de fascistes ou de gardes blancs! Nul contingent de nationalistes polonais, roumains, allemands. Cela signifiait-il que cette heureuse contrée, contrairement aux autres républiques soviétiques, vivait à l'abri des conspirations criminelles ?

Tétanisé par l'ironie cinglante de son chef qui grattait la guitare à ses moments perdus, de plus en plus rares il est vrai, le commandant n'avait pas osé répondre qu'il était difficile de repérer des réseaux d'espions japonais dans une ville de taille moyenne, sans ambassade ni communauté étrangère, à des milliers de verstes du Japon. Il aurait pu ajouter qu'il avait été félicité le matin même par son supérieur hiérarchique direct, le numéro un du NKVD ukrainien, Israël Leplevskii, qui l'avait appelé de Kiev. Plutôt que d'aggraver son cas en rejetant les accusations, il avait promis de traquer sans pitié le laxisme et la négligence dont avaient fait preuve ses subordonnés, et d'éradiquer tous les nids d'espions en quelques semaines.

— Je le souhaite pour toi, camarade ! avait susurré Iejov avec un rire sec qui épouvanta Gromov parce qu'il lui rappela les jappements horribles d'un chien errant sur lequel, deux jours plus tôt, pour s'amuser, il avait déchargé son revolver.

Terreur grande

A présent il fallait agir. Briser une lampe, donner des coups de pied dans une chaise ne suffisait pas. Les actes vont vite, les mots aussi font du chemin. Quand la balle est partie, il faut qu'elle atteigne son but. Si ce n'est pas son but, il le devient. Iejov tenait sa proie, il ne la lâcherait plus. Après tant d'années de soumission silencieuse à tous les changements de cap décidés par les chefs successifs de la Sécurité d'Etat, Gromov voyait s'effondrer en un soir toutes ses ambitions : quitter ce trou perdu d'Ukraine en laissant derrière lui ses deux maîtresses et leurs bâtards, être affecté à Moscou avec un rang supérieur, se rapprocher de Staline, obtenir un appartement dans la Maison du Quai comme tant d'autres dignitaires, dîner tous les soirs dans les restaurants réservés où les orchestres ne rabâchaient plus *Les Yeux noirs* mais jouaient les airs de jazz à la mode, participer aux réceptions diplomatiques et recommencer sa vie avec d'autres femmes, d'autres amis, une jeunesse retrouvée.

Que serait l'histoire du monde sans la cupidité des chefs ? L'idéal de pauvreté des premiers bolcheviks, que Gromov avait partagé, n'avait pas résisté à la réalité d'un pouvoir incapable de nourrir la population. Le montagnard du Kremlin dont on vantait la simplicité d'ermite – une vareuse, une pipe et des bottes de soldat – se faisait aménager des villas somptueuses dans toute l'Union. Chacune de ces résidences mobilisait une foule de cuisiniers et de serviteurs qui préparaient chaque jour des repas de fête pour le cas où le grand homme débarquerait à l'improviste avec sa suite. Tous les dignitaires que connaissait Arkadi Trophimovitch vivaient dans le luxe et bataillaient secrètement pour obtenir plus de privilèges. Dès que l'un d'eux tombait en disgrâce, ses collègues se disputaient son appartement, sa datcha, son mobilier, ses œuvres d'art, sa cave et son linge. Gromov avait bénéficié plusieurs fois de ces aubaines. Son opportunisme idéologique, sa souplesse de caractère, son approbation immédiate des décisions du Parti, aussi inapplicables qu'elles fussent, lui avaient permis de toujours suivre *la ligne juste*, à égale distance des trotskistes maudits et du bloc des droitiers, et de naviguer ainsi pour son propre compte, sans trop d'effort, au milieu des persécutions et des procès. Grâce à l'appui d'un membre du politburo, il avait même réussi à figurer sur la liste des bénéficiaires de la Zis 101, une copie soviétique de la Packard américaine. Cela faisait deux semaines qu'il sillonnait la région, sous des prétextes divers, dans la prestigieuse voiture noire qui témoignait aux yeux de tous de son rang élevé dans la hiérarchie. Quinze jours d'une félicité sans nuage, qu'il avait accueillie comme une nouvelle étape dans sa carrière et que le tout-puissant Commissaire du Peuple à l'Intérieur venait d'anéantir en quelques phrases.

La première pensée du commandant fut d'avoir recours à l'étoile montante du parti, le camarade Khrouchtchev qui avait figuré à la droite de Staline, le premier mai, à la tribune officielle. Le plan était bon, mais prématuré. Khrouchtchev à qui Gromov avait rendu des services non négligeables passait pour un proche de Iejov et participait activement à la campagne d'éradication des saboteurs. Son zèle lui avait permis de dépasser les quotas d'exécutions fixés pour chaque catégorie de criminels. Avant de réclamer son soutien, il était indispensable de prouver sa bonne foi en multipliant les arrestations.

Dans l'immédiat, pour sauver sa peau, Gromov ne voyait qu'une solution, tardive il est vrai, mais jouable : faire retomber sa faute sur la trahison d'un gradé qui aurait constitué un réseau de sabotage dans le service. Un nom s'imposa à lui immédiatement : Vassiliev dont il haïssait l'élégance vestimentaire autant que la voix de ténor et l'air dédaigneux. Il se fit apporter le dossier du capitaine, y chercha de quoi nourrir des accusations et récolta plus d'éléments qu'il n'en espérait. Avant la Révolution, la famille d'Anton avait fait partie de l'élite intellectuelle d'Odessa. On y trouvait des négociants fortunés, un médecin marié à une juive, un directeur de théâtre, des avocats, un cousin pianiste qui avait donné des concerts dans les villes d'eaux des pays capitalistes, un banquier éditeur de poésie. La plupart de ces suppôts de l'ancien régime s'étaient exilés en passant par Istanbul. Le docteur Vassiliev était resté en Ukraine avec son épouse et son fils. Comment ces ci-devant avaient-ils échappé à un châtiment mérité ? Qui avait aidé Anton Vassiliev à s'infiltrer dans les rouages de la sécurité intérieure ? Une lettre de recommandation du général Markov donnait la réponse.

Dans la joie de sa découverte, Gromov fit une entorse à ses principes. Il avala d'un trait un petit verre de vodka, se resservit une première fois, puis une deuxième, alluma une cigarette et reprit espoir. Le général Markov, créature du maréchal Toukhatchevski, venait d'être arrêté à Moscou. Les accusations portées contre lui étaient des plus graves : espionnage au profit de l'Allemagne et du Japon, sabotage prémédité en vue d'affaiblir le potentiel militaire du pays. Vassiliev n'avait plus de protecteur. Il ne restait qu'à constituer autour de lui un réseau d'espions imaginaires et le tour serait joué.

Il se rassit à son bureau, prit une feuille quadrillée, écrivit en rouge *arrestation immédiate des ennemis du peuple soviétique, dont les noms suivent*, fit un pâté sur *les noms*, froissa la feuille qui tomba à côté de la corbeille, but d'un trait un quatrième petit verre et rêva du coup de filet qui, en trois jours, débarrasserait la région de ses éléments antisociaux, les adversaires du bolchevisme, infiltrés partout dans la ville. Alors il dépasserait les quotas, serait cité en exemple par le camarade Staline qui demanderait au pâle Iejov de verser immédiatement une prime à ce héros de la lutte contre l'ennemi intérieur. Et qui sait si, quelque soir, après sa journée harassante, le guide du peuple en personne ne l'appellerait pas pour lui confirmer, de sa voix ferme mais suave, teintée d'un léger accent géorgien, sa nomination à Moscou ? Des artistes, des écrivains, mais aussi des inconnus avaient reçu des appels de ce genre et, aussitôt, la porte enchantée des festins s'était ouverte devant eux.

Il avala un autre verre de vodka et réfléchit aux moyens pratiques de manifester son zèle en obtenant des résultats insurpassables. On lui demandait de débusquer les espions à la solde du Japon et les saboteurs payés par l'Amérique, il en fournirait autant qu'on voudrait dans les huit jours. Pour cela il ne perdrait pas de temps à reprendre de vieux fichiers. Il fallait du sang neuf. Dès le lendemain, les agents auraient pour mission de ramener des suspects pris au hasard dans la ville. Les équipes d'enquêteurs-briseurs seraient renforcées. Les moyens physiques employés sans limitation permettraient de gagner du temps. Dès leur premier interrogatoire, les coupables seraient amenés à signer des confessions brèves, préparées à l'avance. Ceux qui refuseraient seraient abattus, leur signature imitée et leurs noms s'ajouteraient à la liste des condamnés.

L'alcool agissait. A la peur succédait la griserie. Il fallait renforcer la terreur de masse dans la région. Porter l'épouvante à un degré jamais atteint. Multiplier par dix, par cent, le nombre des ennemis et les exterminer férocement ! L'idéal serait que personne ne se sente à l'abri d'une accusation insensée ! Quant à cette larve de Vassiliev qui jouait les délicats et réprouvait les mœurs grossières des vieux bolcheviks, on allait le soumettre au supplice du cachot, quarante-huit heures dans un placard de briques vertical où il ne pourrait ni s'asseoir ni s'accroupir. Comme il serait facile ensuite d'obtenir de lui des aveux ignominieux qu'il réitérerait devant sa mère, accusée des plus grands crimes !

Terreur grande

Le commandant ouvrit une autre bouteille. A présent il allait désigner les équipes qui seraient chargées d'arrêter l'entourage de Vassiliev sans laisser à personne le temps de prendre un manteau. A huit heures du matin, tout ce beau monde en chemise fine devait être bouclé au sous-sol qu'on ne chauffait pas. A midi, quand Gromov sortirait des bras de la danseuse caucasienne, l'horizon serait éclairci.

Le détenu crie ou pleure. Mais il se tait aussi bien. Debout au fond de la cave, en sueur, tremblant de froid, il entend le « clic » d'une arme que l'on charge dans son dos.

Seule issue à l'épouvante : le rêve où toujours il court après l'enfant qui s'envole pour ne pas lâcher un ballon.

Il court dans la pièce aveugle, il court à travers le temps. Les mains attachées, les pieds lourds, il lui faut aller plus vite que le cliquetis dans son dos.

Plus vite ! Plus vite ! Debout au fond de la cave, en sueur, tremblant de froid, il n'a plus qu'un pas à faire avant de heurter le ciel.

Ils avaient été arrêtés la même nuit, certains parce qu'on les recherchait depuis longtemps, d'autres par erreur. Ils ne se connaissaient pas et n'avaient aucune envie de se fréquenter. Leurs opinions, leurs voix étaient différentes. Le hasard les rapprocha :

— Noiraude je l'appelais. Quand je criais son nom, elle traversait le grand pré et s'arrêtait contre la porte. La plus douce vache que j'aie jamais vue. Et bonne donneuse avec ça ! Faut savoir que le premier village est à quarante verstes de la maison. Il n'y a pas de route qui y conduise. Au printemps, je coupe à travers les bois pour aller y acheter du sel, de la laine et de la vodka. Du sucre, on n'en trouve plus. Et il est tellement cher ! Je dors à la belle étoile une nuit ou deux, je reviens chargé de sacs. A chaque retour je dis à Inna que ce serait mieux d'avoir un mulet, et elle me répond que ce serait bien en effet mais qu'on ne peut pas, c'est interdit. Avec Inna on s'entend sur tout, sauf la nuit des fois. Personne ne savait mieux qu'elle faire pousser le seigle pour avoir du pain. C'était notre nourriture toute l'année avec le lait frais de Noiraude. Mais un jour le commissaire arrive chez nous avec des soldats et nous dit que l'élevage est interdit. Autrement on est un koulak. Cela fait trois mois que la directive est affichée. Comment ça se fait que j'aie gardé un animal ? Pendant que j'explique pourquoi, j'entends une détonation. Noiraude est tombée. Elle avait les mamelles pleines de lait. Quand les miliciens sont partis, Inna a pleuré et les deux enfants autour d'elle. Je leur ai crié : entrez vite dans la maison, je veux pas que vous regardiez. C'était la première fois que je trayais une vache morte, et après nous avons mangé de la viande pendant six mois. Là aussi, pour les enfants, c'était la première fois. Mais c'est du lait qu'il leur fallait et ils sont tombés malades, l'un après l'autre.

— Tu nous ennuies avec ta vache, Glazonov ! Si je te disais ce que j'ai perdu, je n'aurais pas fini demain. Sauf que les morts sous la terre gelée n'ont jamais soif, ni faim, ni froid, ni sommeil, et que je suis content d'être en vie. Ma conclusion : tant que je suis debout et qu'il y a à boire, je donne raison à Staline. S'il faut fusiller un garde blanc, je n'hésite pas. Le gars contre le mur pourra crier qu'il hait Trotski et qu'on se trompe sur son nom, lui c'est Andreï Ivanovitch, pas Ivan Andreïvitch, quand la balle est partie, il faut qu'elle atteigne quelqu'un. Si tu n'écoutes pas les chefs, Glazonov, tes os n'auront pas le temps de vieillir.

— Je l'avais dit au commissaire qu'ils mourraient si on les privait du lait de Noiraude. Mais Staline avait tout prévu, paraît-il : je devais recevoir un litre de lait du kolkhoze à la fin du mois.

— Glazonov, tu es un crétin. Le grand dessein de la Russie, la suprême organisation, tu n'y penses pas. M'en fous de ton lait perdu !

70

Des coups de revolver comme celui-là, j'en donnais tous les jours ! Et ce n'était pas sur des bœufs ! A la fin, j'y faisais moins attention que si j'avais un trou dans mes bottes. Les gens comme toi, je te le dis, c'est eux qui retardent le progrès.

— Vous avez raison. Je suis un moujik. Je ne sais rien. C'est Inna qui m'a tout appris. La vache, c'est elle qui l'a obtenue d'un oncle qu'elle avait soigné. Il lui en a fait cadeau avant de mourir. La bête est arrivée chez nous en même temps que le petit Ivan, notre premier fils. A toute histoire il faut un commencement et une fin. Moi, mon commencement, c'est Ivan, ma fin c'est l'assassinat de ma vache. Mon cœur a saigné, mes yeux se sont ouverts. En un éclair, j'ai su ce qui arriverait par la suite. Ma petite Karina, la dernière-née, est morte en premier. Puis ç'a été le tour d'Ivan. Est-ce que je vous ai dit qu'Inna est devenue folle ?

— Tu nous l'as raconté dix fois depuis ce matin ! Mais toutes les femmes sont folles ! Tu ne comprends rien à la vie. Moi j'ai ressuscité quand on m'a donné un fusil. Qu'est-

71

ce que j'étais en 1918 ? Un enfant des rues. Pas de père, pas de mère. Ma tante Zoïa, méchante comme une poule, cachait le meilleur et me glissait dans les poches du pain qui contenait plus de paille que de farine. Si elle troquait un châle contre de la peau de poulet, le morceau était pour elle. Un matin elle fait un baluchon d'un tas de chiffons crasseux et me met dehors. La faim au ventre du matin au soir, je montais dans les trains pour dormir sous les banquettes. Un jour, un marin s'approche de moi, me tâte les joues et me donne des graines de tournesol qu'il avait en vrac dans une poche. On a mastiqué ensemble un moment. C'était bon, j'en ai redemandé. Alors il m'a montré comment on arme les fusils et je suis parti avec lui.

— Je te le dis franchement, Glazonov. Tu as eu de la chance que le commissaire se soit contenté d'abattre la vache. Nous, si un type protestait, on l'alignait tout de suite. Pourquoi attendre qu'il forme un complot avec d'autres criminels ? Nous étions les yeux, les oreilles et les bras de la Révolution. Les erreurs que nous faisions ne comptaient pas puisque c'est nous qui décidions! Une fois j'avais mission de neutraliser un certain Ivanov qui avait été le trésorier local du parti social démocrate interdit depuis Octobre. Un indic nous avait appris que l'ennemi détenait des documents non autorisés. Je pris deux hommes avec moi et frappai chez le suspect à une heure du matin. Le bonhomme ne dormait pas, il avait posé une planche sur ses genoux et il écrivait un poème. On ne lui laissa pas le temps de protester, on le bâillonna avec une serpillière qui traînait dans le couloir, on le conduisit dans la rue et une balle régla l'affaire. Plus tard, quand on fouilla la chambre pour découvrir les documents, on s'aperçut qu'on n'était pas chez Ivanov, on s'était trompé d'étage!

— Ce qui m'est arrivé à moi est bien pire qu'à toi, Glazonov. On a roulé toute la nuit et au matin, on est arrivé dans un endroit que tu n'as même pas vu dans tes cauchemars. Jusqu'à l'horizon, de tous les côtés, sur un millier de verstes au bas mot, de la neige, du froid et du vent. Tant que le vent siffle, c'est bon. S'il tourne autour d'une bicoque, c'est que le malheur est dedans. Rien à manger à l'intérieur, et dehors, jusqu'à l'horizon, pas une racine à sucer, pas une écorce, pas un brin d'herbe. A côté de moi, il y avait un ex-koulak qui s'y connaissait. Il se baisse, ramasse un quignon de terre, l'émiette dans ses gros doigts et s'écrie : « Ce qu'elle est souple, nom de dieu, c'est du gâteau, pourquoi n'a-t-on pas planté du blé dans ce coin ? » On leur avait pris leurs récoltes et ils avaient été forcés de manger toute la semence ! Si tu avais vu ce que j'ai vu ! Le long de la voie ferrée, des gens se traînaient pour qu'on leur donne un bout de pain. Je dis « des gens » parce qu'il faut bien nommer ce qu'on voit, mais pour moi ce n'étaient plus des gens. Est-ce que des bras peuvent ressembler à des tiges desséchées ? Autrefois j'aurais dit que non. Est-ce qu'une jeune femme peut avoir le visage sec d'un grillon ? La réponse est oui. Je te jure qu'aucune métamorphose n'est impossible à qui meurt de faim.

— Glazonov, pourquoi tu pleures ? Tu as commis des fautes, on te demande de payer. Normal, non ? Peut-être qu'on viendra te chercher cette nuit pour te conduire dans la cour et ce sera la fin. Mais ce n'est pas sûr ! Parfois les juges vous laissent la vie pour s'amuser, et c'est vraiment ce qu'ils peuvent faire de pire. Tu connais le tarif ? Dix ans dans un camp de Sibérie à régime sévère. Moins soixante degrés en hiver. Si tu survis, tu seras un homme nouveau ! Tu ne pleureras plus pour une vache. Ni pour personne. Adieu, Glazonov ! Tu nous as bien amusés. A présent nous allons établir notre innocence et nous rentrerons chez nous.

Des années plus tard, dans la salle d'attente d'une gare, pendant que la neige tombait à gros flocons sur un convoi immobilisé :

— Comment s'appelait ce type qui se plaignait pour sa vache ?

— Je sais pas, j'ai jamais su.

— Et celui qui, dans la cave, le torturait chaque nuit ?

— Je sais pas, j'ai jamais su.

. — C'était pour quelle raison qu'ils l'ont enterré vivant ?

— Je sais pas, j'ai jamais su.

Romanenko avait la migraine. Cet ancien komsomol qui devait sa promotion à la volonté de Staline de remplacer les vieux bolcheviks par la nouvelle génération des pionniers dressés à obéir, avait passé dix heures dans son bureau à tourmenter de vieilles femmes sans défense et de prétendus pilleurs des biens de l'Etat qui n'étaient que des kolkhoziens affamés. Tenant compte des dernières directives, il avait simplifié les procédures d'accusation à transmettre aux juges de la troïka et recommandé chaque fois la sévérité la plus extrême en ajoutant au crayon rouge dans les marges le chiffre 1 qui condamnait à mort. Mais soudain, à neuf heures du soir, une douleur fulgurante au-dessus d'un œil le contraignit de marquer une pause, alors qu'il avait prévu d'accélérer le rythme de la « chaîne », ces interrogatoires brefs et inutiles, répétés tout au long de la nuit, qui brisaient le moral des prisonniers.

Il éteignit une des deux lampes de son bureau et ferma les yeux un moment ; puis, se rappelant qu'il avait sauté un repas, ce qui était peut-être la cause de sa migraine, il se fit servir des harengs aux pommes de terre et les dévora debout, dans la pénombre, le dos tourné au portrait du grand dirigeant qui occupait un tiers du mur.

Son repas fini, l'enquêteur parcourut le dossier d'un certain Vlassov, accusé de banditisme, que la milice avait arrêté pendant qu'il dormait sur un banc. Un droit commun dans son bureau, voilà qui le distrairait de sa migraine. Sans compter qu'il ne serait pas difficile de changer ce pauvre diable en chef de bande pour se donner de l'importance et gonfler les chiffres. Il téléphona au responsable des cachots de lui envoyer le prisonnier immédiatement.

Sa douleur n'était plus la même à présent. Plus diffuse et moins acérée, elle accompagnait une sorte d'engourdissement de son esprit, contre lequel il tentait de réagir en pensant au moyen de rendre son zèle plus efficace, car il était le premier à douter de son aptitude à démasquer les saboteurs. Faute de savoir se faire craindre, il devait supporter sans broncher le mépris du capitaine Vassiliev et les injures de Gromov dont il était le souffre-douleur.

Comme il l'avoua plus tard sous la torture quand il fut accusé à son tour d'être un agent de la Gestapo, il ne s'était jamais senti à la hauteur des tâches qu'on lui demandait ou qu'il s'imposait à lui-même. Un petit garçon falot qui jouait les durs pour masquer son insuffisance, c'est ainsi qu'il se voyait dans la glace en mauvais état de son bureau malgré sa moustache bien savonnée, son képi et son uniforme bleu. Né de père inconnu et d'une mère prostituée que Lénine avait fait fusiller avec beaucoup d'autres en août 1918 sous prétexte que les putains saoulaient les soldats et les corrompaient, il devait tout au Parti qui l'avait nourri et vêtu, lui avait appris à marcher au pas et à répéter des slogans, et l'avait doté d'un destin. De là sa vénération pour celui dont on évitait de dire le nom. Comment faisait-il, le surhomme, pour ne jamais commettre d'erreur, toujours tracer la ligne juste, repérer les ennemis, montrer la voie, définir pour les siècles à venir le vrai et le faux ? Romanenko l'imitait parfois devant la glace – raideur, gaucherie des gestes, accent caucasien, air rusé – en se demandant si ce n'était pas sacrilège.

— Un moment ! cria-t-il au soldat qui avait frappé deux coups à la porte comme chaque fois qu'il conduisait un prisonnier.

Romanenko vérifia que le tabouret était à sa place, la lampe tournée convenablement et que sa main droite, sans qu'on la voie, pouvait saisir le revolver posé à plat dans un tiroir laissé ouvert. Il inspira profondément, plissa les yeux et alla chercher au fond de ses joues la grimace dédaigneuse qui en imposerait à l'arrivant.

— Entrez ! dit-il sèchement.

La porte s'ouvrit sur un vieux bonhomme fluet, vêtu d'une blouse sale et d'un pantalon décousu, qui s'abattit sur le tabouret avant d'avoir reçu l'ordre de s'asseoir. Une odeur de crasse arriva aux narines de l'enquêteur qui plongea la tête dans ses papiers.

Romanenko aimait commencer les interrogatoires par une plaisanterie sur l'aspect physique du détenu. Le plus souvent, il disait : vous n'avez pas l'air en forme, camarade ! Vos amis trotskistes ne vous nourrissent pas bien ? Cette fois, il remplaça « amis trotskistes » par « vos complices ». L'autre ne réagit pas. Le front baissé, les mains sur les genoux, on aurait pu croire qu'il n'avait pas entendu.

— Vous êtes un récidiviste, Ivan Ivanovitch. Vous savez ce qui vous attend si vous ne livrez pas le nom des criminels de votre bande ? Regardez-moi quand je vous parle !

Vlassov leva la tête. Son visage était sec et gris, piqueté de trous de la taille d'un grain de poivre, avec un nez dont l'os s'était ressoudé de travers. Ses lèvres pâles, disjointes, laissaient voir des dents presque noires.

— Le banditisme est une tradition dans votre famille. Votre père était un protokoulak, votre mère une illuminée qui voyait en vous un futur saint et vous destinait à la prêtrise.

A ces mots, Vlassov esquissa l'amorce de ce qui serait devenu peut-être un sourire dans un autre visage que le sien. Ses petits yeux, sans recul comme ceux d'un renard, mirent mal à l'aise Romanenko.

— Lorsque votre père a été condamné pour rébellion aux lois soviétiques, vous l'avez suivi en Sibérie, sans autorisation ni passeport. Pillage des biens de l'Etat, complicité avec des groupes de bandits. Vous échappez aux poursuites en changeant souvent de région. Vous voyagez dans les wagons à bestiaux, moins surveillés que les convois de voyageurs. Quand vous avez besoin d'argent ou de nourriture, vous n'hésitez pas à cambrioler des kolkhozes.

Vlassov écoutait sa propre histoire en balançant la tête d'un côté à l'autre comme un animal qui chercherait un trou par où s'enfuir.

— Mon père était mort de faim et de froid, j'étais révolté.

— Je ne veux pas le savoir. Jugé pour vol et destruction de matériel, vous êtes expédié dans un camp d'internement d'où vous vous évadez l'année suivante avec une équipe de cannibales, c'est le terme qui figure sur votre fiche. Tout le groupe est repris après quinze jours, sauf vous dont on perd la trace. Jusqu'à la semaine dernière.

— J'ai construit une cabane, en pleine taïga. J'y ai vécu avec une femme chinoise. J'avais mes pièges, je faisais le commerce des peaux. Surtout la martre et la zibeline. C'était interdit.

— Vous avez toujours été un hors-la-loi. Je n'ai qu'un mot à dire et on vous fusille. Réfléchissez bien ! Je vous donne une dernière chance, mais il me faut la liste des bandits qui vous ont aidé. Vous savez lire ? Signez ici. « Conformément à mon plan criminel de sabotage, j'ai rejoint clandestinement une bande d'anciens koulaks et de gardes blancs, ennemis du peuple soviétique. Avec eux j'ai formé un réseau soutenu par le Japon en vue de restaurer le capitalisme… »

— Je ne parle pas comme ça.

— C'est ainsi que vous écrirez. J'ai laissé en blanc le bas de la page. Il y a la place pour vingt noms. Donnez-les-moi !

— Y a pas de noms ! Toujours été seul

83

depuis la mort de la Chinoise. Toujours à fuir et à me cacher !

— Tu comptes me faire avaler ce mensonge ?

— Personne ne m'a aidé, à part des vieilles qui posaient du pain sur mon banc ou des gardiens qui faisaient semblant de ne pas me voir tirer de l'eau à un robinet collectif.

— Leurs noms ?

— Qu'est-ce que j'en sais ! Nous autres qui ne sommes pas des dirigeants, on n'a pas besoin de noms. Si on peut partager la soupe, on le fait. Les noms, c'est pour la milice.

Romanenko posa la main sur le revolver du tiroir. Il haïssait cet homme aux yeux de renard, qui rabâchait son histoire idiote et ne lâchait rien. Quel plaisir il aurait eu à loger une balle dans ce regard ! L'année précédente, Gromov avait tué dans son bureau un voleur dont le sourire l'exaspérait. Mais un chef n'avait pas à rendre compte de ses actes, l'histoire n'avait eu aucune suite.

— Vous retournerez au cachot jusqu'à ce que vous soyez prêt à collaborer avec nous.

Il pressa la sonnette. Un soldat fit sortir Vlassov qui marchait avec difficulté. Avait-il compris ce qui l'attendait ? Dans l'état d'affaiblissement où il se trouvait, il avait peu de chance de ressortir vivant de son placard. C'était le prix de l'obstination ! Pourquoi ne livrait-il pas n'importe quels noms de camarades en échange de la vie ?

Romanenko tira un autre dossier de la pile et le parcourut. Zinaïda Nilova. Ex-bourgeoise privée de droits. Connue pour ses opinions libérales, ayant publié autrefois dans des revues que Lénine avait interdites. Vivant de petits travaux plus ou moins licites proposés dans l'enceinte du cimetière. Accusée de répandre des ragots et des calomnies au sujet de prétendus cadavres anonymes enfouis de nuit. Serait à l'origine de la rumeur qui trouble la ville. Trois dénonciations en ce sens.

L'intensité du mal de crâne avait baissé, mais la migraine était toujours là, sournoise et tenace comme une bête qui n'a pas fini de lécher un os qu'on lui a retiré et qui attend pour le reprendre. « Sûr que la vieille a vu quelque chose de suspect, pensait Romanenko. Mais pourquoi ne la boucle-t-elle pas comme tout le monde ? Qu'est-ce qui la

pousse à se mêler d'une histoire qui lui coû-
tera la vie ? Il faut que je lui fasse peur,
sinon je n'obtiendrai que des paroles vagues
et des plaintes. »

Le chauffeur laissa le capitaine Vassiliev devant la porte réservée aux gradés du NKVD. Le jeune soldat en faction près de la guérite salua l'officier en serrant les talons. Anton ne lui rendit pas son salut. Dans l'ascenseur, il retrouva le relent spécifique du lieu, un mélange d'odeurs de bière, de soupe, de tabac froid et de vomi. Peut-être pensa-t-il (c'est moi qui le suppose en 2010) que ces puanteurs n'étaient pas sans rapport avec les brutalités pratiquées dans les caves par les enquêteurs-briseurs, spécialistes des aveux forcés.

Sur son bureau, Anton trouva une feuille pliée en deux : *On part ensemble tout à l'heure ?* Pas de signature, mais c'était les pattes de mouche de Micha, un ami sûr. Il porta la feuille à ses narines, machinalement. Elle n'avait gardé aucune trace de parfum. Rien que l'odeur grossière d'un papier de mauvaise qualité.

Il retira son lourd manteau et réfléchit à la demande de sa mère. Depuis quelques mois, sous l'impulsion du camarade Iejov, la chasse aux ennemis intérieurs avait pris un tour démentiel. Personne n'était à l'abri d'une arrestation ignorée qui conduirait à une secrète condamnation, immédiatement suivie d'une exécution clandestine et d'un enfouissement anonyme. Il en résultait dans toute la ville, y compris au siège du NKVD, un climat de peur qui poussait de petits chefs affolés à des actes de barbarie et des innocents au suicide. Sur toute l'immensité russe, des centaines de milliers d'hommes, de femmes, de tous âges et de toutes conditions, disparaissaient silencieusement. Du jour au lendemain, des familles cessaient d'exister et il n'y avait pas de cadavres. Pas d'enterrements. Pas d'articles dans le journal. Rien ne devait transpirer de ces meurtres silencieux. S'inquiéter en public de la disparition d'un voisin était assimilé à une atteinte contre l'Etat. La rumeur elle-même était un crime.

Anton savait tout cela. Il savait aussi qu'un individu emprisonné ne retrouvait jamais la liberté même s'il y avait une erreur d'identité. Intervenir ouvertement en faveur d'une innocente était la dernière chose à faire. Il réclama le dossier d'instruction de Zinaïda Nilova et le parcourut longuement. La vieille femme, soixante-treize ans, avait eu la malchance de tomber sur un des nouveaux enquêteurs nommés par Iejov. Avec l'acharnement des démons inférieurs, l'habile Romanenko avait aggravé le cas de l'accusée en impliquant plusieurs personnes de son quartier de manière à constituer à partir d'elle un réseau de terroristes. Le procédé était simple. Toute personne à qui la malheureuse avait adressé la parole un jour ou l'autre, fût-ce pour acheter une demi-livre de betteraves, devenait membre actif d'une conspiration imaginaire. Sous les yeux d'Anton se dessinait une toile criminelle qu'on pouvait étendre à toute la ville si on le souhaitait. Pour étayer les accusations, le service entretenait un groupe de délateurs qui attendaient dans une salle spéciale toutes les nuits le moment de porter de faux témoignages.

Les charges fictives pesant sur Zinaïda conduisaient à une condamnation de première catégorie. Aucune procédure « régulière » ne pouvait plus la sauver.

Anton prit sa voix de commandement et demanda le poste de Romanenko. L'ancien komsomol eut l'impression de recevoir un coup de marteau de géologue dans l'oreille.

— Je n'approuve pas la façon dont vous avez mené l'enquête sur la rumeur touchant de prétendus fusillés jetés à la fosse commune. Votre approche du problème n'est pas satisfaisante. Vous ne tenez pas compte des recommandations de Moscou. Vous attribuez la responsabilité des calomnies antisoviétiques à une certaine Zinaïda Nilova, qui ne peut être qu'une exécutante, alors qu'il s'agit de mettre à jour les ramifications d'un complot criminel dont les cerveaux demeurent cachés.

— Vous avez raison, Anton Semionovitch, je n'ai pas compris l'étendue de la conspiration. Je vais reprendre toute l'enquête et je vous promets que dorénavant...

— Non ! Désormais je m'occuperai de cette affaire. Envoyez-moi la détenue immédiatement. Il faut une stratégie différente. On libérera l'accusée et on la fera filer jour et nuit pour obtenir le réseau de ses complices, quand même cette toile d'araignée s'étendrait d'Odessa à Vladivostok !

Et il raccrocha.

Un quart d'heure plus tard, la vieille femme ensommeillée, assise au bord d'un tabouret, les mains sur les genoux, attendait les questions du capitaine en bougeant les lèvres, les yeux mi-clos.

— Vous récitez une prière ?

— Un poème de Verlaine. *Ame, te souvient-il du fond du paradis*. Vous connaissez ?

— Peut-être.

— Il n'y a que la poésie qui me calme. J'ai mal partout. Cinq jours que nous sommes trois à nous partager le même lit. Et d'ailleurs ce n'est pas un lit, c'est un bat-flanc. Et puis dans la journée, les interrogatoires qui s'enchaînent.

— Je ne serai pas long. Détendez-vous.

— Je suis fatiguée. J'ai déjà été interrogée ce matin, de très bonne heure. Et toujours

91

les mêmes questions. Avec qui avez-vous parlé ? Quels sont vos contacts ? Les noms des membres de votre groupe ? Moi qui vis seule depuis vingt ans !

— Je sais. J'ai votre dossier sous les yeux. Vous avez déjà été arrêtée pour une histoire de censure. Cela n'arrange pas vos affaires. Que faisiez-vous avant la Révolution ?

— J'écrivais des contes pour les enfants et je faisais des traductions.

— De quelle langue ?

— Du français. Et aussi de l'italien et de l'allemand.

— Vous n'avez pas continué ?

— Mes travaux ont été refusés.

— Pour quelle raison ?

— Littérature bourgeoise.

— Je vois que vous avez voyagé à l'étranger.

— Dans ma jeunesse, oui. Une année entière.

— Où êtes-vous allée ?

Peut-être avait-il posé la question seulement pour voir briller les yeux de la vieille femme.

Terreur grande

— Paris. Toulouse. Marseille. Plus tard Rome. Et sur le chemin du retour je me suis arrêtée deux mois en Allema…

La sonnerie du téléphone l'empêcha d'entendre l'énumération des villes allemandes où la vieille femme avait passé des moments heureux. C'était Micha qui voulait le rencontrer immédiatement « à l'endroit habituel ». Il ne donnait pas de raison.

Mikhaïl Koutzine qui dirigeait le service des communications était un ancien moniteur de tir et de gymnastique, blessé à la jambe au cours d'un raid d'entraînement. Des épaules larges, un front bombé, une voix de basse profonde qui devenait stridente dans la colère et faisait réellement peur, des pommettes hautes et de petits yeux noirs rapprochés lui avaient valu le surnom de Mongol qu'il prenait en bonne part. Anton avait été séduit au premier regard par sa puissance physique et le charme de ses défauts : la vanité de mettre en valeur ses biceps par des tricots s'arrêtant à mi-bras ; la confiance immodeste qu'il avait dans sa capacité à résoudre tous les problèmes matériels ; son goût pour l'aventure et l'action violente, au mépris des lois qui ne sont pas faites pour les boiteux, disait-il. Il ajoutait en riant : « J'aime laisser traîner ma jambe dans tous les bons coups. Et plus encore dans les mauvais ! »

Vassiliev abandonna la vieille femme à la garde d'un agent, descendit au premier étage et s'enfonça dans les couloirs mal éclairés jusqu'à la porte vert-de-gris des toilettes pour hommes. Mikhaïl en manches de chemise, le cou dégagé, se rafraîchissait le visage sous le robinet d'eau froide. Les deux hommes s'embrassèrent sur la bouche longuement.

— Tu ne pouvais pas attendre la fin de la nuit ? Qu'est-ce qu'il y a de si urgent ?

— Le Vieux est sous pression à cause des quotas qu'on n'a pas atteints. Pour sauver sa peau, il cherche des fautifs. Un réseau d'espions infiltrés dans le service, voilà l'idée. Et ce sera toi, le chef du réseau. En ce moment il épluche ton dossier.

— Cela me laisse combien de temps ?

— Ça *nous* laisse – au mieux– quelques heures. Disons quatre ou cinq. Avant la fin de la nuit, on arrêtera ta mère, tes proches, tes relations. Personne n'y échappera. Moi, je sais ce qui m'attend. Ma mère était roumaine. Je serai un agent des fascistes tout désigné. Gromov viendra me voir dans ma cage quand on me brûlera les couilles pour que je livre des listes de noms inconnus.

Un petit homme entra dans les toilettes. Apercevant des supérieurs, il s'inclina en portant la main à son front puis il choisit la portion de mur la plus éloignée et pissa en sifflotant pour signaler qu'il n'écoutait pas la conversation. Anton l'avait reconnu. C'était un des faux témoins qui passaient la nuit à jouer aux cartes dans une pièce enfumée. A la demande des enquêteurs, il attestait avoir entendu telle personne se plaindre de la pénurie de beurre ou proférer des menaces contre le Guide.

Koutzine laissa sortir le siffloteur avant d'exposer son plan à voix basse.

— Le Vieux ne sait pas que j'ai surpris sa conversation. Cela nous donne cinq ou six heures d'avance. Pas plus. Il faut agir tout de suite.

— Que veux-tu faire ?

— Le prendre en otage et filer avec lui.

— Pour aller où ? Toutes les routes seront barrées.

— On n'arrête pas un chef du NKVD pourvu d'un ordre de mission.

Un autre individu poussa la porte des toilettes. Lui aussi choisit la portion de mur la plus éloignée et sifflota gaiement. Lui aussi repartit bredouille et frustré. Il y a des nuits où les mouchards ont beau tendre l'oreille, ils n'entendent que le bruit de l'eau.

— Alors, qu'est-ce que tu décides ?

— Je viens avec toi.

— Je t'aime, Anton ! Quand seras-tu prêt ?

— Dans un quart d'heure. Mais je m'inquiète pour ma mère. Imagine qu'elle refuse de partir avec nous ! Je lui téléphone tout de suite.

— Ne l'appelle pas ! Les communications sont écoutées. Nous irons la chercher ensemble. Je saurai la convaincre, moi !

Il était comme ça, Mikhaïl, il ne doutait jamais de lui quand il se lançait dans l'action. L'urgence le dopait, le libérait. Plus le risque était grand, plus ses décisions étaient rapides. Et appropriées. Anton avait un tempérament opposé. Le danger le paralysait. Au lieu d'agir, il se représentait tous les obstacles que l'action pouvait rencontrer sur sa route, tâche infinie qui confortait sa passivité, le décourageant d'entreprendre. Et puis, cette nuit-là, il n'était pas seul à risquer sa peau. Quelle responsabilité de prendre la fuite avec sa mère ! Leur chance de quitter l'Ukraine était presque nulle. Dans les années de la grande famine, toutes les tentatives de franchissement de frontière avaient échoué, disait-on. Il est vrai que Staline avait déployé cent mille soldats le long des voies ferrées et que les fuyards étaient à bout de forces. Plus récemment, des dirigeants menacés de mort avaient réussi à fausser compagnie aux tueurs, mais c'était du côté du Japon ou de la Finlande. Cependant le choix était clair, c'était même la seule clarté dans un monde crépusculaire : il fallait fuir immédiatement ou consentir à la torture et finir sur le sol boueux d'une cour.

Dans son bureau Anton retrouva la vieille Zinaïda qui marmonnait un autre poème en français. *Au-dessus des étangs, au-dessus des vallées,/ Des montagnes, des bois, des nuages, des mers,/ Par-delà le soleil, par-delà les éthers...*

— De qui est-ce ?

— Baudelaire.

— Connaissez-vous quelqu'un qui pourrait vous cacher le temps qu'on vous oublie ? Disons trois mois ?

— C'est-à-dire que... je suis très seule...

— Je ne vous demande pas de nom. Je parle dans votre intérêt. Je vous relâche tout de suite. Mais n'allez pas dormir chez vous. C'est dangereux.

— J'ai un ami ukrainien que je ne vois pas souvent. Il vit avec sa fille et son gendre. C'est un poète.

— Allez directement chez lui !

— Il n'a qu'une pièce, il ne pourra pas me loger.

— Eh bien vous dormirez sur une chaise !

Décidemment la vieille s'accrochait à des vétilles et ne se rendait pas compte du mal qu'il se donnait pour la sauver.

— Vous voyez ce que je fais ? Je déchire votre dossier. Plus d'accusation ! Vous êtes libre. Jusqu'à ce qu'un de vos voisins vous dénonce de nouveau. Compris ? Ne retournez pas chez vous !

Il signa un laissez-passer en bonne et due forme et le remit au soldat qui gardait sa porte avec mission d'accompagner la vieille dame jusqu'à la sortie.

— Et mon manteau ? protesta-t-elle. On me l'a pris quand on m'a arrêtée.

Il avait toujours vécu dans un monde protégé où des subordonnés réglaient les détails matériels à sa place, il n'avait pas pensé qu'elle était en robe et qu'il faisait froid.

— Attendez ici. Je vous apporterai un vêtement.

Il se rendit à l'étage des dactylos. Au bout d'un corridor mal éclairé, une longue rangée de patères soutenait une succession de manteaux de femme, plus ou moins humides, plus ou moins usés. Son odorat le conduisit vers une pèlerine à capuchon, en drap épais, grise, peu voyante, qu'il emporta sous son bras avec une écharpe de laine tricotée.

Après le départ de son fils, Anna Vassilieva était remontée dans sa chambre, les
bras chargés de livres comme chaque soir.
Pour s'endormir il lui fallait tourner le dos à
la vie courante sur laquelle tous les senti-
ments se brisaient, pas seulement la barque
de l'amour. Depuis l'enfance, la lecture
avait été pour elle beaucoup plus qu'un
délassement : une fraternelle complicité avec
les réfractaires de tous les siècles. Issue
d'une famille juive cultivée comme il y en
avait beaucoup à Odessa avant les mas-
sacres de 1941, elle avait trouvé dans les
livres un refuge et un paradis. Quand on lit
on ne cherche pas, disait-elle, on ne lutte
pas pour obtenir, on reçoit, on puise dans la
corne d'abondance. C'est le monde qui

vient à vous et vous entoure de ses richesses, de ses attentions, vous rafraîchit et vous approuve, et fait de vous à chaque page une reine de l'univers. Elle aimait découvrir qu'un auteur mort depuis des siècles avait donné toutes ses chances à une pensée qu'elle avait repoussée de crainte de passer pour une folle ou, plus grave, pour une ennemie de la morale soviétique. Quand on lit, disait-elle encore à Anton, l'imagination va plus vite, plus loin (avec plus de légèreté) que lorsqu'elle se barricade pour éviter les cafards. Aussi lent soit-il dans son rythme, aussi usée que soit sa trame, un livre est toujours un bolide comparé à la massive bêtise des tourmenteurs qui écrasent la vie dans leurs pinces de crustacés.

Adolescente, il lui était arrivé bien des fois, surtout en été, de s'esbigner en douce de sa chambre avant le lever du jour, de s'introduire dans la maison de ses voisins à l'heure où leur cuisinière et son vieux mari étaient les seuls réveillés et les seuls actifs, d'emprunter un livre à la bibliothèque des Milovanoff, pas plus riche que celle de son père mais différente, et de s'installer dans leur véranda qui donnait sur un très modeste verger. Tandis que les gens sérieux dormaient encore dans l'ignorance des premiers frissons de la lumière au sommet des acacias, quel délice de lire *Les Trois Mousquetaires* ou *Guerre et Paix* en attendant le petit-déjeuner. Alors d'Artagnan avec sa rapière et sa cape était plus réel que tous les soudards en vareuse et bottes de cuir qui sillonnaient la ville avec des fusils. Quant à l'amour de Pierre et de Natacha, loin d'être un rêve inaccessible ou une utopie destinée à se fracasser, il préfigurait la grande passion qui dévorerait un jour sa vie.

Hélas, depuis la mort de Simon Vassiliev, elle n'était plus capable de ces lectures au long cours qui absorbaient son énergie. Elle se contentait, disait-elle, de « picorer ». Anton, qui lisait lentement comme il faisait sa toilette, était surpris de voir sa mère s'entourer de beaucoup de livres et passer de l'un à l'autre au cours de la même soirée. C'est qu'elle se sentait moins concernée par le destin des personnages depuis que le sien était scellé, croyait-elle. Ne l'intéressaient plus dans les romans que le singulier des situations, l'irréversible des instants ; et, dans les pièces de théâtre, les répliques qui jetaient quelques brusques étincelles dans le fouillis desséché de ses souvenirs.

Ainsi le soir où le sort de son existence se joua sans qu'elle le sût, elle posa sur son lit cinq ou six livres, dont *La Mouette* et *L'Homme des bois* de Tchekhov, parcourut des scènes au hasard et tenta de couper court à travers les dialogues comme on prend des raccourcis à travers des forêts jusqu'à ce qu'une clairière ou un lac vous oblige à faire une halte.

Parce que sa carrière s'était brisée beaucoup trop tôt, sa nostalgie du théâtre se confondait avec les regrets de sa jeunesse. Faute de succès nouveaux à défendre contre l'oubli, elle ressassait tous les soirs plus ou moins les mêmes scènes qu'elle rejouait sous des éclairages divers en prenant des libertés de plus en plus grandes à mesure que le temps passait et laissait voir un autre versant des heures enfuies. Si bien que, peut-être, ce qu'elle appelait « sa mémoire heureuse » (le catalogue de ses souvenirs brillants), n'était

qu'un nom donné à une imagination prime-
sautière qui faisait feu de tout passé.

Un bruit de pas dans la maison l'arracha
à ses rêveries. Anton serait-il déjà de retour ?
Avait-il pu libérer la vieille Zinaïda ?

Elle jeta une houppelande sur ses épaules
et descendit en pantoufles à la cuisine où
Evguénia se préparait une infusion de sauge
pour calmer ses brûlures d'estomac.

— Vous n'êtes pas bien ?

— J'ai trop de soucis.

— A quel sujet ?

— Si je le savais ! Je ne me plains pas d'être
ici. Et je suis en bonne santé. Le docteur me
disait que j'étais bâtie pour vivre jusqu'à l'an
2000 ! Pourtant je n'arrive pas à dormir. Je
suis angoissée. Peut-être à cause de ce qui se
passe autour de nous sans qu'on sache de
quoi il retourne. Les gens dans la rue disent
des choses qui font peur. Mais si vous les
pressez de questions, plus un mot !

Tout en parlant, elle avait posé deux
tasses et le sucrier sur le napperon. Anna la
regardait en souriant, connaissant son hypo-
condrie.

— Je vous embête avec mes histoires.

— Pas du tout.

— Oh si ! Je le vois bien. Quand vous souriez comme ça...

— Je pense que vous êtes comme nous tous. Vous avez besoin de changer d'air. Il vous faudrait faire un voyage à l'étranger.

— Ah, non, alors !

— Vous n'aimeriez pas connaître Londres ou Paris ?

— Quand j'étais jeune, je me serais vendue pour voyager ! Mais plus maintenant.

— Quel âge avez-vous ?

— Vingt-neuf ans.

— Vous vous croyez vieille ?

— J'ai un fiancé à présent. Il travaille à la fabrique de chaussures. Je voudrais qu'on se marie. Mais il dit que ce n'est pas le bon moment, ce serait trop risqué pour moi.

— Pourquoi donc ?

— Il a un nom polonais. S'il devait être arrêté, il vaudrait mieux qu'on ne se connaisse pas.

Je me suis souvent demandé s'il fallait hurler lorsqu'on était battu et piétiné à coups de bottes. Ne valait-il pas mieux se figer dans un orgueil diabolique et répondre à ses bourreaux par un silence méprisant ? Et je décidais qu'il fallait hurler. Dans ce misérable hurlement que l'on entend parfois jusque dans les cellules presque insonorisées, venu on ne sait d'où, sont concentrés les derniers restes de la dignité humaine et de la foi en la vie. Par ce hurlement l'homme laisse sa trace sur terre, et fait savoir aux autres hommes comment il a vécu et comment il est mort. En hurlant, il défend son droit à la vie, il envoie un message à l'extérieur, il réclame aide et assistance. Quand il ne reste rien d'autre, il faut hurler. Le silence est un véritable crime contre l'espèce humaine.

Nadejda Mandelstam,
Contre tout espoir

Au sous-sol du Carrousel, dans la partie la plus froide du bâtiment, se trouvent les cachots disciplinaires que les détenus appellent des cercueils. Ce sont des placards en maçonnerie, si étroits qu'on ne peut pas s'y asseoir. Les prisonniers, grelottants de froid, se tiennent debout dans ces cages aussi longtemps qu'on les y laisse. Au-delà de trois jours, on retire des cadavres. Seuls survivent à l'épreuve ceux qui ont bénéficié de punitions brèves. Ils racontent que la douleur est pire que les coups portés au bas-ventre, elle provoque des nausées, des saignements, des jambes enflées, elle entraîne des syncopes.

En cette nuit de l'automne 1937, un des hommes soumis à la torture lente du

« cercueil » aperçoit de la lumière par une fente minuscule du guichet qui jointe mal. Il la voit, ne la voit plus, la voit de nouveau. Y aurait-il un soldat de l'autre côté qui ferait les cent pas pour se réchauffer ? En principe les gardiens affectés à la surveillance des cachots sont de très jeunes recrues. Le prisonnier lui crierait d'ouvrir s'il en avait encore la force. Mais il a perdu sa voix, sa gorge est sèche, on a jeté une poignée de sel dans sa soupe pour le punir. Il pose la bouche sur la fissure, il lape le peu de fraîcheur de la brique nue. Et il ne crie pas, ne hurle pas, n'appelle pas au secours. Dans son délire, il oublie qu'il est au cachot et qu'il va mourir, il croit que quelqu'un l'écoute dans l'ombre et il lui chuchote une histoire.

— Nous ne resterons pas ici, mon petit Sacha. Cette terre n'est pas la nôtre. Nous partirons dès que nous serons prêts. C'est l'affaire de quelques mois. Au pire : de quelques années. Il ne se passe pas une heure sans que j'y pense, pas un jour sans que la brise dans les bouleaux me confirme cette joie. Qui a parlé des deux merveilles : la conscience et le ciel étoilé ? Ne les sépare pas dans ton cœur.

Note bien ce que je te dis, mon petit Sacha. Retiens-le et raconte-le à tes enfants pour qu'ils sachent ce que nous avons enduré et qu'ils désignent le fautif. Mais qu'ils ne se vengent pas ! La vengeance est le portillon de l'enfer.

Un jour tu sortiras de ce pays, tu marche-ras sous le ciel souvent noir, parfois étoilé. Tu traverseras des forêts, tu franchiras des mers, tu entendras des voix inconnues, tu prononceras des mots nouveaux, tu sentiras que ton cœur brûle, et un soir, sans com-prendre pourquoi, tu n'auras plus peur. Alors tu sauras que tu es arrivé et ta vie commencera... avec tous ceux que tu auras laissés en chemin...

Tu as compris ce que je t'ai dit, Sachenka ? Tu te souviendras de tout ? ... Maintenant je crois que je pars...

En cette nuit de l'automne 1937, l'homme soumis à la torture lente du « cercueil » ne sait pas que le soldat derrière la porte est sourd de naissance et qu'il a été choisi précisément parce que ses compagnons à l'oreille fine ne supportent plus d'entendre des cris.

Mikhaïl Koutzine et Anton Vassiliev firent irruption chez Gromov peu avant minuit. Dans sa frayeur, le commandant renversa une fiole d'encre rouge sur des bottes qu'il étrennait. Il n'eut pas le temps de presser la sonnette de son bureau. Un coup de poing le jeta par terre, sur le dos, devant la grande cheminée où rougeoyait un amas de bûches. Il se releva lentement, hagard, les lèvres tremblantes, délesté du Nagant qu'il portait à la ceinture. Debout contre le portrait de Staline, les mains au-dessus de la tête, il ne détachait pas les yeux du lieutenant qui s'était emparé également de son autre revolver posé sur des paperasses dans un tiroir.

— Ne me tuez pas ! balbutia-t-il, trompé par un geste brusque de Koutzine.

— Asseyez-vous ici et calmez-vous ! dit Vassiliev que la violence mettait mal à l'aise.

Gromov se laissa conduire sur une chaise dans le coin opposé à la porte, et il demeura la tête inclinée vers le sol comme fasciné par la vue des taches rouges sur les bottes neuves, taillées sur mesure par un cordonnier de Kiev. Sans doute croyait-il encore à ce moment-là qu'on allait le liquider de la façon habituelle comme il l'avait souvent vu faire dans les caves, car il était de ceux qui invitaient parents et amis au spectacle des exécutions.

— Nous arrivons à temps, dit Mikhaïl en retirant une feuille quadrillée de dessous un presse-papier en bronze poli. Ecoute ça. *Arrestation immédiate des ennemis dont les noms suivent.* Tu devines qui figure en tête de liste ?

— Nous ? demanda Anton.

— Toi, d'abord. Ta mère ensuite. Je suis le troisième avec cette note que j'apprécie : *dangereux.*

Curieusement, ce dialogue rassura Gromov. Il découvrait que ses tourmenteurs n'agissaient pas sur un ordre personnel du Commissaire du Peuple à l'Intérieur. S'il était victime d'un acte isolé de banditisme, et non d'une action planifiée par le Kremlin, il pouvait appâter les criminels avec des promesses et négocier leur reddition, puisqu'ils n'avaient aucune chance (selon lui) de sortir vivants de la ville.

— J'ai de l'argent dans un coffret. Prenez-le et partez ! Vous avez ma parole de tchékiste que je ne porterai pas plainte contre vous.

— Tu parles si on croit à ta parole, vieux crapaud !

Koutzine avait extrait du dernier tiroir du bureau une boîte en bois peint dont il brisa le couvercle d'un coup de crosse. Il empocha les billets. Anton installé devant le bureau se mit en quête d'un carnet de bordereaux et remplit un ordre de mission imaginaire en trois exemplaires. L'ordre précisait que les autorités militaires et civiles devaient prêter leur concours à cette mission et répondre favorablement à toute demande des agents.

— Nous allons partir ensemble, dit Koutzine. Vous serez placé entre nous. N'essayez pas d'appeler au secours ou de nous tromper.

Au moindre écart, nous viderons nos chargeurs dans votre dos.

— C'est de la folie... Vous ne pourrez pas aller loin !

— Aussi loin que vous, Arkadi Trophimovitch ! Votre sort est lié à notre survie. Anton, explique-lui !

— Nous allons sortir d'ici tranquillement et nous partirons ensemble. Personne ne doit se rendre compte que vous êtes notre otage. Vous agirez comme si vous étiez libre. Votre vie en dépend. Si nous sommes pris, vous mourrez avant nous. Mais si tout se passe bien, nous vous relâcherons demain, sain et sauf. Tenez ! J'ai rempli nos ordres de mission. Votre signature, camarade !

Le commandant hébété vint se rasseoir dans son propre fauteuil et signa les trois exemplaires sans discuter. Par trois fois la mention « secret absolu » reçut le coup de tampon officiel.

— Lorsque vous vous déplacez, demanda Koutzine, combien d'hommes vous accompagnent ?

— Une dizaine.

— Vous vous passez d'escorte quelquefois ?

— Seulement la nuit, quand j'ai besoin d'être discret.

— Ce sera le cas ce soir. Vous demanderez une seule voiture et vous direz au chauffeur de placer trois jerrycans d'essence dans le coffre. Compris ?

— Oui.

— A partir de maintenant, reprit Vassiliev, votre problème sera celui de tous les comédiens. Comment avoir l'air naturel quand on tient des propos déraisonnables ? Un bon conseil : ne vous écoutez pas en train de parler, ne vous regardez pas agir, lancez-vous !

Il décrocha le téléphone, demanda le service des voitures et tendit le combiné au commandant qui s'acquitta de son rôle sans brio mais avec efficacité.

— L'auto sera prête dans un quart d'heure.

— Très bien. Vous êtes sur la bonne voie. Si vous perdez votre place à cause de nous, faites un essai chez Stanilavski !

— Et n'oubliez pas, camarade ! Si nous échouons, votre cadavre nous servira de bouclier ! Allons-y !

Il partirent.

Terreur grande

Dans l'ascenseur brinquebalant, Gromov avait l'air d'une figure de cire. Soudain ses lèvres se remirent à trembler. De sa main libre, comme on chasserait un insecte, Mikhaïl lui fouetta la bouche. Le tremblement s'arrêta. La cabine aussi.

Les trois hommes traversèrent le hall d'un pas rapide. Les soldats chargés de la sécurité s'écartèrent de la porte. Le chauffeur en uniforme se précipita pour ouvrir la portière arrière de la Zis. Anton aida Gromov à s'installer et prit place à côté de lui. Koutzine s'assit à l'avant.

Le premier acte était joué.

Ame, te souvient-il, au fond du paradis,
De la gare d'Auteuil et des trains de jadis
T'amenant chaque jour, venus de La Chapelle ?
Jadis déjà ! Combien pourtant je me rappelle...

Emmitouflée dans la pèlerine de drap couleur de limaille que lui a donnée le capitaine Vassiliev, Zinaïda marche à petits pas sur la fine couche de neige glacée du trottoir, tout en récitant à mi-voix les vers de Verlaine qu'elle a traduits autrefois dans une revue que Lénine a fait interdire. Elle a laissé derrière elle la lugubre bâtisse du NKVD, mieux gardée qu'une caserne, où le tapage des machines à écrire, les questions des enquêteurs et les éclats de voix dans les couloirs ne couvrent pas les cris qui montent du sous-sol

aux pires heures de la nuit. Elle ne pense pas
à l'étrangeté de sa libération inopinée, elle
n'en cherche pas les raisons qui peut-être
n'existent pas ou qui dépendent d'une déci-
sion arbitraire. Ce qui la tracasse à présent,
tandis que craquent les cristaux de glace
sous ses chaussures de mauvais cuir, c'est
d'avoir oublié un vers du poème qu'elle mar-
monne :

Après les premiers mots de bonjour et d'accueil,
Mon vieux bras dans le tien, nous quittions cet Auteuil,
Et sous les arbres pleins d'une gente musique...

Et là, panne de mémoire ! Le trou ! Impossible de se rappeler ce que faisaient Verlaine
et le jeune Lucien sous les tilleuls de ce quartier de Paris, dans les flonflons des baraques
foraines et des orchestres de bal. Elle en pleu-
rerait, Zinaïda, d'avoir oublié un alexan-
drin, elle qui a vu se perdre dans l'oubli tant
de choses plus importantes.

C'est que son destin (pensait-elle) n'était
qu'une colonne de poussière en suspension
dans ce rayon de soleil qui troue le cœur noc-
turne des forêts. Rien de plus. Rien de moins.

Mais la lumière qui enveloppe et dirige cette poussière, qui la produit ? La poésie. De cela la vieille femme solitaire ne doute pas. C'est la poésie qui rend visible. Poésie des mots, des choses, des rencontres. Magie qui rassemble ou disperse les apparences.

Ici, dans cette ville d'Ukraine du Sud dont le nom importe peu, Zinaïda, soixante-treize ans, ayant échappé provisoirement à un sort fatal, tente de se souvenir d'un vers de douze pieds écrit dans un autre pays et un autre siècle, un témoignage de tendresse laissé par un mort qui avait été un faune et un héros.

A dix-neuf ans elle avait adressé un poème d'amour à une revue d'Odessa et avait compris son erreur, un mois plus tard, en lisant le texte imprimé. Dès lors elle renonça à livrer ses propres émotions et se contenta de traduire celles des autres.

Et sous les arbres pleins d'une gente musique... d'une gente musique...

Rien. Toujours rien ! La suite du poème se dérobe. La fatigue sans doute. L'épuisement. Ou peut-être qu'elle est tourmentée par des pensées plus prosaïques, concernant le gîte qu'elle doit trouver, et son avenir.

Elle arrive à un carrefour. Des phares surgissent. Un *corbeau noir* passe devant elle, en faisant crisser la couche de glace sous ses pneus. Pas de fenêtre. Pas de vitre à l'arrière. Impossible de savoir si le fourgon roule à vide ou s'il transporte une famille entière dont les enfants seront immédiatement dispersés. Si les parents sont des intellectuels, leur bibliothèque est emportée aussi comme pièce à conviction car elle peut contenir des ouvrages interdits.

Au carrefour Zinaïda change de direction et s'avance dans une avenue déserte, mal éclairée, sans arbre ni musique d'aucune sorte. C'est au bout de cette avenue, dans le cul-de-sac formé par un bloc de vieilles maisons délabrées que vit son ami ukrainien qu'elle voit trop rarement, de crainte de lui créer des ennuis. C'est un véritable poète. Il écrit des vers mystérieux sur les nuits d'été de l'Ukraine, le ciel étoilé, les faisceaux d'étoiles filantes, le souffle différent du vent dans les bouleaux et les acacias, la splendeur pure d'une allée de peupliers, la grande course des

nuages montant du sud ou les chevaux blancs
qui s'emballent à l'approche de la tempête.
Malheureusement pour l'auteur de ces merveilles, la censure perçoit dans les vers les
plus éthérés des sous-entendus criminels.
Ainsi « les faisceaux d'étoiles filantes » sont
une allusion (et par conséquent un soutien)
au régime de Mussolini. Les chevaux blancs
qui pressentent l'orage ne désignent-ils pas la
cavalerie des blancs, défaite par les bolcheviks, et qui rêve d'une revanche ? Comme les
puritains et les fanatiques, les censeurs
retrouvent leurs propres obsessions dans tout
ce qu'ils jugent.

Tap tap. Tap tap. Tap tap. Que se passe-
t-il ? Zinaïda perçoit un clopinement devant
elle. « O Verlaine, Hugo, Baudelaire, quel
démon vient à ma rencontre ? » Mais pourquoi serait-ce un démon ce petit boiteux en
galoches qui cherche une oreille dans la nuit
noire ?

— Vous m'apportez de la soupe ? Non,
vous ne me l'apportez pas ! Cela fait deux
jours maintenant. Je les ai comptés. Un.
Deux. Jamais je n'aurais cru qu'ils partiraient
en me laissant. L'autre soir ils m'ont donné

121

du pain avec du chou. Et le lendemain : disparus ! J'ai cru qu'ils étaient sortis en promenade. J'ai attendu, j'ai attendu. Toute la journée. Toute la nuit.

Zinaïda regarde l'inconnu qui lui barre le chemin. C'est un homme jeune, moins de trente ans, aux joues creuses, aux cheveux noirs, le corps malingre, un enfant grandi dans la guerre civile, estropié par un éclat d'obus ou le ricochet d'une balle qui ne lui était pas destinée. Sans doute s'agit-il d'un de ces orphelins qui, par dizaines de milliers, tentèrent de survivre au milieu des combats. La plupart moururent de faim ou de maladie dans l'année qui suivit leur abandon, les survivants apprirent à se nourrir de détritus et de rats grillés, quelques-uns formèrent des bandes d'assassins qui attaquaient les gens dans la rue à coups de barre de fer, égorgeaient les femmes seules dans les maisons.

A présent l'affamé clopine à côté de la vieille femme qui n'a rien à lui donner. Il ne comprend pas pourquoi il ne reçoit plus son bol de soupe comme d'habitude. Le départ de ses protecteurs le désespère.

— Cela fait deux jours maintenant. Je les ai comptés. Regardez mes doigts. Un. Deux. D'habitude ils ouvraient la porte à huit heures, il posait le bol dans l'entrée. Ils avaient toujours quelque chose de chaud à me donner. Quand ils partaient à la campagne, ils me prenaient avec eux. Pourquoi cette fois m'ont-ils laissé ?

Zinaïda a deviné ce qui lui reste à découvrir au bout de l'impasse. Elle espère se tromper et presse le pas. De loin elle voit les scellés sur une porte. Là où habite son ami. Tous les Soviétiques savent ce que signifient des scellés sur une porte. C'est la signature des agents de la Sécurité d'Etat quand ils ont arrêté une famille, libérant un logement.

— Vous voyez ? Ils ont tout fermé et ils sont partis.

Brusquement le sol se dérobe. Tout devient noir. Zinaïda s'appuie au mur pour ne pas tomber. L'idiot ressasse les mêmes mots, les mêmes questions. Sa voix est plaintive, on dirait un couinement.

— Pourquoi ne m'ont-ils pas pris avec eux ? Des gens si gentils. Tous les soirs ils me donnaient quelque chose.

Le vertige a cessé. Zinaïda s'éloigne du mur. L'homme la rejoint. Il ne parle plus. Il attend. Doit-elle lui dire la vérité ? Elle le saisit par le bras.

— Comment tu t'appelles ?

— Viktor.

— Je reviendrai ici demain matin. Je t'apporterai à manger.

— De la soupe ?

— Si tu veux.

— Je préfère de la kacha.

— Tu en auras.

— Dans un grand bol ?

— Oui. Désormais ce sera moi qui m'occuperai de toi.

— Tous les jours ?

— Oui. Tous les jours.

Elle part aussi vite que sa fatigue le lui permet. Elle refait en sens inverse le chemin parcouru jusqu'au carrefour. Une limousine noire passe à vive allure devant elle. Instinctivement elle s'arrête, attend que l'automobile soit loin pour reprendre sa marche.

Tous dorment quand elle retrouve les odeurs de l'appartement collectif que le capitaine lui a ordonné de quitter. Une jeune fille occupe son lit et s'est constitué un petit rempart protecteur avec quelques sacs pleins de ses objets personnels. La vieille n'a plus qu'à dormir sur des chaises dans le couloir. C'est trop injuste. Elle se penche sur la dormeuse et lui demande de se lever, elle n'a pas le droit de rester là, elle doit partir. L'endormie grogne qu'on lui a attribué cette place et qu'elle a sommeil. Puis elle lui tourne le dos.

Zinaïda se rebiffe. Toute la colère qu'elle a réprimée depuis son arrestation, toute sa honte et sa peur, son angoisse et son amertume se changent en rage. Elle va dans la cuisine avec la pensée de saisir un long tisonnier et d'obliger l'intruse à laisser la place. Pendant qu'elle se prépare à l'action, quelqu'un l'appelle dans le noir :

— C'est toi, Zinochka ? Ils t'ont relâchée !

— Comme tu vois.

— Je l'avais dit que tu n'étais pas une espionne. Ils savent très bien ce qu'ils font !

— Ils ne savent rien ! Ils arrêtent n'importe qui.

— S'ils t'ont laissée libre, c'est que tu es innocente.

— Je crois plutôt qu'un ange m'a fait libérer.

— Un ange ? Tu fais de la métaphysique maintenant ?

Zinaïda laisse échapper un petit cri et court remettre à sa place le tisonnier. La mémoire lui est revenue. Elle est sauvée ! Dire qu'elle a failli dans sa colère défoncer le crâne d'une gamine ! Tout ça pour quelques centimètres carrés dans le pays le plus grand de la planète. Elle chantonne en s'aménageant une couche de fortune dans le couloir :

Après les premiers mots de bonjour et d'accueil,
Mon vieux bras dans le tien, nous quittions cet Auteuil,
Et sous les arbres pleins d'une gente musique,
Notre entretien était souvent métaphysique...

Elle s'endort en pensant à la rencontre qu'elle a faite dans la rue, à ce Viktor qu'elle va nourrir désormais... Se pourrait-il, se demande-t-elle avant de sombrer, que j'aie été sauvée uniquement... pour sauver quelqu'un à mon tour... ! Gente musique, alors... notre entretien... gente musique... souvent... souvent... métaphysique...

Terreur grande

Zinaïda Nilova eut un autre destin (je n'ose pas dire plus de chance) qu'Alexandra Petrovna Nicolaieva, une marchande de fleurs en tissu de la région de Leningrad, qui fut exécutée trois semaines après son arrestation[1]. Elle n'oublia jamais le mystère qui entoura sa libération miraculeuse. Au sortir de la guerre patriotique, ayant été de nouveau condamnée pour des faits imaginaires, elle fut expédiée à la Kolyma. Ceux qui la rencontrèrent là-bas ont rapporté qu'elle ne récitait pas de poèmes mais qu'elle était devenue folle et réclamait de la kacha pour un boiteux qui mourait de faim.

---

1. Cf. Nicolas Werth, *L'Ivrogne et la marchande de fleurs*.

Anton accorda vingt minutes à sa mère pour boucler ses bagages et quitter la maison définitivement. « Je n'y arriverai pas, je n'y arriverai jamais », répétait-elle en parcourant pieds nus les couloirs, en ouvrant et en refermant des armoires, en entassant ses plus belles robes de scène sur une table, en vidant les tiroirs d'un secrétaire pour retrouver la clé minuscule qui ouvrirait un coffret plein de souvenirs.

— Qu'est-ce que je t'ai dit, maman ! Ne prends que l'indispensable !

Mais comment définir l'indispensable ? Elle était prête à se séparer de ses bijoux les plus récents ou des fourrures que son fils lui avait offertes. Mais elle était déchirée à la pensée de laisser moisir son herbier des plantes d'Ukraine qu'elle avait mis trente ans à rassembler. Et pouvait-elle abandonner au fond d'un coffre de bois clouté, empaquetés dans un châle de soie qu'elle dénouait une fois par an, les lorgnons du docteur Vassiliev et son précieux stéthoscope qui s'était posé sur la poitrine de tant de patients, inconnus ou célèbres ?

Debout sur le lit, elle décrochait en pleurant les photographies décorant les murs de sa chambre, où alternaient les portraits de messieurs en costumes clairs et des scènes de pique-niques.

— Maman, le temps presse !

— Je n'irai pas avec vous si je dois laisser ici les papiers de la famille !

— Les plus importants, mais pas tous ! On ne peut pas s'encombrer.

— Je veux prendre toutes les lettres et toutes les photos. Et l'argenterie des Milovanoff ! Et la montre à tourbillons dont ils ont fait cadeau à ton père en nous quittant !

Ainsi, dans ce moment d'urgence extrême, elle voulait emmener en priorité ce qui avait été sauvegardé autrefois, ces objets devenus chers pour avoir survécu à des tragédies dont ils témoignaient si l'on connaissait leur histoire. Par exemple, la soupière en émail décorée de scènes champêtres qu'elle avait sauvée personnellement du pillage quand les bourgeois affamés cédaient à bas prix sur les trottoirs de la vaisselle en porcelaine de Limoges pour acheter des concombres.

— Je t'en supplie, maman. Il faut partir !

Elle avait entassé sur son lit une montagne d'objets sans utilité pour le voyage, des documents, des dessins, de petites fioles, la trousse d'urgence du docteur Vassiliev, des cartons d'invitation à des lectures poétiques, souvent signés d'un nom prestigieux comme Mandelstam ou Pasternak.

Dès qu'elle commença à remplir les valises, elle se rendit compte qu'il lui faudrait au moins cinq ou six malles et plusieurs voitures pour tout emporter.

Elle s'assit au bord du lit, désemparée.

Au rez-de-chaussée, dans la salle de réception, Evguénia avait apporté un plateau de hors-d'œuvre salés et le samovar. Elle avait gardé son bonnet de nuit et jeté sur ses épaules un fichu ukrainien aux motifs traditionnels. Une expérience déjà longue des excentricités de la famille l'avait habituée à ne s'étonner de rien. Elle entretenait une relation à plaisanteries avec le nouvel amant d'Anton qui faisait semblant de la courtiser et lui offrait de petits cadeaux en lui disant : « Evguénia dans ma prochaine vie je vous épouse./ Trop tard, camarade Koutzine, je me marie le mois prochain./ Déjà ! Mais vous n'avez que cinquante ans !/ Otez-en vingt et vous aurez mon âge, lieutenant. / Dans ce cas, j'attendrai que vous soyez veuve ! Etc. »

Elle courait à petits pas avec des assiettes et chuchotait comme si elle craignait de se réveiller elle-même : « Servez-vous ! Servez-vous ! On ne voyage pas le ventre vide ! »

En trois minutes, elle réussit à donner un air de fête à la réception inopinée : lumières douces, avalanche de friandises sur un guéridon, tintement des tasses, vapeur du thé, carafon et verres à vodka. Vue à travers les vitres colorées des fenêtres à croisillons, même la silhouette du chauffeur faisant les cent pas devant la maison avait quelque chose de féerique comme la vue des grooms d'autrefois à l'entrée des restaurants. Mais le gros bonhomme au visage contrarié qui se rencognait sur le divan en buvant petit verre sur petit verre lui faisait peur.

Pour la troisième fois, Anton vint dire qu'Anna Vassilieva était presque prête, elle allait descendre d'un instant à l'autre, elle n'avait plus que ses affaires de toilette à rassembler. Comme preuve de cette annonce téméraire, il déposa sur le parquet deux valises aussi lourdes que des altères.

Finalement il retourna à l'étage réconforter sa mère qui venait de décider, dans l'excès de sa détresse, qu'elle voyagerait les mains vides. Craignant que cette résolution ne fût le signe d'un abattement durable, il entoura de ses bras les frêles épaules d'Anna et lui dit :

— On doit laisser ici des choses qu'on aime. C'est le prix à payer pour rester en vie. Il faut faire vite. Chaque moment compte. Micha veut qu'on parte immédiatement. Quelle chance qu'il nous accompagne. Nous irons à Istanbul et de là à Marseille. Puis à Paris. En France, tu referas du théâtre.

Il était près de trois heures quand Igor Trofimtchouk tira derrière lui le portillon du cimetière. En tant que fossoyeur en chef, gardien du lieu, responsable de son entretien, il avait droit à un logement d'une pièce dans un immeuble récent, construit sur l'emplacement d'une église, à proximité des tombeaux. En deux minutes, il pouvait être chez lui. Cependant il hésitait à laisser son collègue rentrer seul. Certes, Piotr avait moins bu que la veille mais que se passerait-il si, en chemin, il s'avisait de finir la bouteille et de se coucher dans la neige ?

— Je te ramène !

Tout le long du trajet, qui était d'une verste environ, Piotr protesta (mais de plus en plus faiblement) que ce n'était pas nécessaire. Au moment de quitter son ami, il voulut lui faire part encore une fois de ce qui lui tenait à cœur :

— Est-ce que je t'ai dit que j'ai acheté une bougie pour l'anniversaire de Sergueï ?

— Tu m'as raconté. A demain. Et tu ne parles à personne de ce que l'on fait, compris ?

— Mais qu'est-ce que tu crois ? Je ne suis pas un bavard !

Igor, pressé de s'en retourner, s'éloigna rapidement. Piotr tira la bouteille de sa poche. Il ne comprenait pas pourquoi son ami le tarabustait. Ce n'était pas juste. Il était tenté de lui courir après pour s'expliquer mais la fatigue l'emporta et l'envie de boire un dernier coup avant de retrouver Olga. Il avala une gorgée d'alcool, boucha la bouteille et l'enfouit dans son caban. Au coin de la rue les phares d'une limousine déplacèrent une arche lumineuse dans les ténèbres. Pas le moment de s'attarder. Il poussa la porte de la bicoque, retira ses chaussures boueuses et entra chez lui.

Dans le noir, tout de suite, il sentit l'odeur âcre du suif qui avait brûlé. Olga n'avait pas attendu son retour pour allumer la bougie devant la photo. La déception était immense et irrémédiable, une affreuse trahison, puis la pensée lui vint que sa femme avait agi par respect du calendrier puisque l'anniversaire de la mort du petit Serguëi prenait fin à minuit.

Maintenant que ses yeux s'habituaient à l'obscurité, il apercevait vaguement les restes de la bougie dans une soucoupe et, tout à côté, la main également vague et blanche d'Olga sortant d'un empilement de couvertures.

Il laissa ses chaussures près de la porte, suspendit à un clou son caban glacé et s'assit devant la table sans retirer son bonnet. Ses mains glissaient sur la toile cirée à la recherche de l'assiette où sa femme, chaque nuit, posait quelques ronds de concombre sur une tranche de pain, à son intention. L'assiette était vide, mais peu lui importait. Cette nuit-là il n'avait ni faim ni soif ni sommeil, il avait seulement envie d'entendre une phrase, un mot qui changerait la pression autour de ses tempes, qui le libérerait de l'angoisse.

Il resta de longues minutes immobile, les mains à plat sur la toile cirée, les yeux secs, le souffle court, la bouche entrouverte. Du temps passa comme passe le temps, sans bruit, sans violence. Un engloutissement lent, régulier, qui n'exigeait rien que de se poursuivre sans fin. La tranquillité de la nuit, la respiration d'Olga et l'odeur chaude qui montait de l'édredon agissaient sur l'esprit de Piotr. Tandis que ses paupières devenaient lourdes, il était envahi par les souvenirs apaisants d'un temps antérieur à ses malheurs.

Son père avait été cocher jusqu'à la Révolution qui avait supprimé le métier. Piotr ne se souvenait plus de son visage ni de la couleur de ses yeux (il se le reprochait), mais il se rappelait son corps puissant et disgracié, ses mains énormes, rêches, gercées par le froid, fendillées comme une vieille bourse de cuir, dont les ongles noirs ressemblaient à des blattes mortes. Homme rugueux, solitaire, d'humeur sombre, grondante, presque toujours à la recherche d'un petit verre, capable de mater un cheval devenu fou à force de coups, mais non de répondre par un regard à l'attente de l'enfant qui l'admirait, le craignait, le regardait comme un ogre. Il pouvait être différent pourtant, généreux et jovial, car il n'est personne qui ne loge au fond de soi un contraire plein de ressources. Le jour des étrennes par exemple, ou le matin de Pâques lorsque les cloches dispersées sonnaient la Résurrection, il réveillait l'enfant par une chanson, lui fourrait dans les mains une friandise ou un œuf colorié et l'invitait à s'asseoir à côté de lui sur le traîneau pour traverser le quartier et découvrir la campagne. Une fois lancée, la jument grise, à moitié aveugle, gardait la même allure basse et pesante, ses oreilles fripées tressaillaient pour se débarrasser des flocons de neige, les maisons glissaient comme des décors de carton. Quand la rue était dégagée, l'enfant avait le droit de tenir les guides sur une courte distance. Quel bonheur de considérer le monde de haut, en toute sécurité ! Et de surprendre le regard étonné des piétons qui s'arrêtaient pour laisser passer l'attelage. « Moi aussi, plus tard, pensait-il, je serai cocher et j'avancerai dans la vie en faisant claquer mon fouet. »

Dans ces moments d'euphorie, son père lui dévoilait des pensées qu'il n'aurait confiées à personne d'autre. Et ces pensées s'enchaînaient, se bousculaient, révélaient derrière la simplicité factice des choses un monde à venir brillant comme les boules de Noël à la devanture des restaurants.

— Tu as de la chance, lui disait-il. Ta vie sera meilleure que la mienne. Un jour, tout ce que tu vois des deux côtés de la route, la terre, l'herbe, ces bouleaux – et aussi beaucoup de choses qu'on ne peut pas voir parce qu'elles demeurent cachées au fond des châteaux –, tout sera à nous.

— Tu veux dire : à toi et à moi ?

— Oui. Tout. On vivra dans de grandes maisons, entourées de jardins. On servira de l'esturgeon en gelée à tous les repas. L'été, on ira déguster des pastèques sur les plages de la mer Noire. On voyagera dans le monde. Chez nous, tout sera changé. A chaque coin de rue, il y aura des comptoirs où l'on distribuera des boissons gratuitement. Un cocher

aura-t-il soif ? Hop là, il tirera sur les rênes,
boira un coup et repartira sans rien payer.

— Mais alors tout le monde sera saoul,
papa !

— Tu n'as rien compris. Qu'est-ce qui
pousse à l'ivrognerie ? La tristesse. Au ving-
tième siècle, tout le monde sera heureux.
C'est le bonheur qui remplacera la vodka.

Le vieux cocher était mort d'une cirrhose
en 1925. Le jeune Piotr, qui volait des
pommes de terre dans un kolkhoze pour le
nourrir, s'était réveillé orphelin de ses dernières illusions...

Après avoir accompagné son ami Piotr,
Trofimtchouk reprit la même rue pour rentrer chez lui. Sa femme l'attendait en tricotant
près du samovar. Il aurait préféré qu'elle fût
endormie, il ne savait pourquoi.

— Il est tard. Tu n'arrivais pas à dormir ?

— Je voulais parler avec toi. On se voit si
peu.

Il retira ses habits mouillés et se lava les
mains à l'eau froide avec un bout de savon
rance. Il savait que Raïfa supportait mal

l'odeur des cadavres qui imprégnait ses vêtements et qu'il ne sentait plus depuis longtemps. Comme toujours, dans les mêmes
circonstances, il avait honte d'être si peu
séduisant devant une femme qui avait été
belle autrefois, dans son village. Peut-être se
rappelait-il aussi, inopinément, que le soir de
leurs noces, il lui avait promis de travailler
dur pour s'arracher à la misère générale.

— Merci pour le thé. Il va me faire du
bien après tout ce... travail de nuit... .

— Tu es étrange. Que t'arrive-t-il ? Tu as
un problème ?

— C'est mon affaire.

— Je ne te questionne pas. Mais je vois
bien que quelque chose te tracasse.

— Personne ne doit savoir ce que nous
faisons, Piotr et moi. Mais tu le connais,
c'est un idiot. J'ai peur qu'il ait parlé à trop
de gens.

— Et alors ?

— Ce ne serait bon ni pour lui ni pour
moi.

Ils se turent un long moment. Igor
demanda s'il pouvait mettre un peu de sucre
dans son verre, mais il avait fini les dernières

paillettes de cassonade. Il avala d'un trait le thé amer.

Raïfa relança la conversation :

— Tu travailles toutes les nuits. Tu rentres tard. Tes journées sont doubles. Mais je ne vois pas qu'on en soit plus à l'aise.

— C'est une période difficile pour tout le monde. Bientôt les choses iront mieux. Je l'ai lu dans le journal.

— Depuis dix ans, tu répètes que je dois être patiente et que demain nous n'aurons plus de soucis. Mais qu'est-ce que tu fais pour que notre situation s'améliore ? On dirait que cela te plaît de rester au bas de l'échelle.

— Tu sais comme moi que j'ai voulu aller à Moscou chercher du travail. Mon cousin m'avait trouvé une place de cuisinier. Sans passeport, cela n'a pas été possible.

— Inutile de s'exiler pour réussir. Certains se débrouillent très bien. Ce matin j'ai croisé notre ancienne voisine Natalia Slogova. Son mari a obtenu un logement de deux pièces avec des toilettes séparées.

— Tu ne vas pas me donner en exemple cette crapule ?

— S'il était comme tu dis, le Parti ne l'emploierait pas !

— Ce voyou vit de faux témoignages. Il passe ses nuits au siège de la milice à attendre qu'on l'appelle pour signer un mensonge tout préparé. Si demain on lui demandait de nous dénoncer, il le ferait sans hésiter.

— Tu exagères toujours. Collaborer avec les miliciens est bien normal. Mais tu préfères attendre que ton collègue soit arrêté et te mette en cause...

— Que faire d'autre ?

— Prendre les devants.

— C'est-à-dire ?

— Aller voir le lieutenant Romanenko et lui dire que ton collègue bavarde. Personne n'en saura rien et cela peut aider.

— C'est monstrueux !

— Si tu ne veux rien faire parce que Piotr est ton ami, moi je peux écrire la lettre. Je dirai qu'il raconte à tout le monde que vous enterrez de nuit des fusillés.

— Tu es donc au courant ?

— Tu me crois aveugle et stupide ? On ne parle que de ça dans toute la ville. Il faut bien que quelqu'un soit à l'origine de la rumeur. Si ce n'est pas Piotr et cette bourgeoise à moitié folle qui traîne autour du cimetière, ce sera toi !

Ils étaient cinq dans la sinistre limousine qui roulait sous un ciel sans lune, sans étoiles, en direction du sud, vers Odessa. Quatre hommes, une femme, trois générations. Cinq points de vue. Autour d'eux la nuit et le gel. Devant eux la trouée des phares éclairant une courte section de la route et laissant pressentir de part et d'autre des portières l'étendue sans fin des ténèbres.

Le chauffeur, Iona Prokopenko, un Ukrainien trop réservé pour confier ses états d'âme à des supérieurs, était le fils de ce figurant que l'auteur du *Cuirassé Potemkine* avait distingué de la foule anonyme au cours du tournage de la célèbre scène des escaliers, en 1925. « Du nerf, camarade Prokopenko ! » avait hurlé Eisenstein dans le porte-voix. Tous avaient cru que le cinéaste, juché sur un mirador comme un surveillant de prison, connaissait chacun en particulier, alors qu'il avait choisi un nom au hasard dans la liste des chômeurs qui faisaient de la figuration pour un bol de soupe chaude.

Il y avait six mois à peine que le komsomol Prokopenko était devenu le chauffeur attitré de Gromov. Il devait cette promotion à sa docilité silencieuse autant qu'à sa passion pour la mécanique et à sa carrure d'haltérophile. Ne s'étonner de rien, ne porter aucun jugement sur les chefs, obéir sans délai en toutes circonstances et ne pas se souvenir des exactions dont on aurait été le témoin, telles étaient les clés de l'avancement pour une recrue qui, jusque-là, n'avait pas eu de protecteur.

En dépit de son air débonnaire, le timide Iona (qui sentait l'oignon d'après Vassiliev) cachait un secret et une ambition : il passait deux nuits par semaine avec la femme d'un gardien de l'usine de chaussures 131, une Moldave aux hanches larges et à la voix de rossignol qu'il avait juré d'épouser dès qu'une dénonciation anonyme l'aurait rendue veuve. Il allait de soi (dans l'esprit de l'amoureux) que personne n'était mieux placé que Gromov pour hâter ce jour béni.

Koutzine, qui pensait à tout, avait demandé à Prokopenko de lui remettre son arme de service et s'était assis à l'avant. Il était le seul passager qui ne laissait aucun remords derrière lui et n'accuserait pas le destin si l'équipée tournait mal. «Tout dépend de nous, même le hasard, avait-il chuchoté à l'oreille d'Anton avant de glisser des sachets de cocaïne dans une poche de sa vareuse. Il n'y a pas de fatalité et Staline n'est pas un dieu. Nous avons six heures d'avance sur le malheur. Tant que nous les garderons, il ne nous arrivera rien. »

Anton approuvait cette philosophie mais ne se sentait pas l'étoffe d'un kidnappeur. N'ayant jamais été un homme d'action, il se voyait embarqué presque malgré lui dans une entreprise d'autant plus folle qu'elle était sans exemple dans un pays d'où il semblait impossible de s'évader. Assis entre Anna Vassilieva et le commandant, il gardait la main sur son arme, soi-disant pour être prêt à la décharger sur son voisin s'il tentait de fuir, mais ses pensées allaient à sa mère qui le harcelait de questions.

— Tu es sûr que j'ai pris les lettres de ton père ?

— Je t'ai vue les mettre dans le sac jaune.

— Ses photos aussi ?

— Elles sont avec l'album.

— J'ai oublié mes jumelles de théâtre !

Pendant la première heure du voyage, elle dressa mentalement le catalogue des objets qu'elle n'avait pas pu emporter : des bijoux, des chapeaux, des robes de scène, une édition rare d'*Eugène Onéguine*, une photo dédicacée d'Anton Tchekhov, une boîte à secrets où elle conservait dans une pochette de papier cristal une touffe de cheveux gris. Et toujours, par le regret d'un bibelot, d'une image, d'une vétille, elle revenait à sa hantise d'abandonner à la terre russe un mort qu'elle avait aimé.

— Je me sens fautive de t'accompagner.

— Pourquoi ?

— Qui prendra soin de la tombe de ton père ?

— Zinaïda.

— Tu l'as libérée ?

— Oui

— Oh ! Merci ! Merci !

Gromov, qui occupait dérisoirement la place d'honneur sur la banquette arrière du côté droit, écoutait ces conversations en grommelant. Il avait l'air hagard d'un somnambule qui aurait marché sur un lac gelé et qui se réveillerait dans l'eau froide. Un cauchemar. Pour cet homme presque illettré, qui devait sa position à la guerre civile, la réalité était un des attributs du pouvoir, elle appartenait aux vainqueurs au même titre que les pianos et les meubles réquisitionnés, elle était le trophée de la conquête. En perdant le droit d'agir, les vaincus se changeaient en ombres sans consistance. Non seulement le Parti des ouvriers déterminait le bien et le mal en fonction de ses intérêts, mais il établissait le juste et le faux, le vrai et l'imaginaire. Les bourgeois, les nobles, les démocrates, tous les défenseurs du monde ancien interprétaient le réel, il appartenait aux bolcheviks de le dicter. Par ses directives appropriées, le chef décrétait les événements qui n'avaient plus qu'à se produire ou à disparaître selon les besoins de l'heure. Et voilà que, tout à coup, à rebours du sens de l'Histoire, deux subordonnés sans avenir (et apparemment sans soutien) se livraient à une action insensée qui faisait voler en éclats ses croyances volontaristes. Sentiment de perdre pied. Vertige de l'inconnu. Il était déjà arrivé que des dirigeants fussent malmenés par des paysans ou assassinés comme Kirov à Leningrad, mais aucun (à sa connaissance) n'avait été pris en otage. De tels actes étaient contraires à la réalité soviétique, donc voués à l'échec.

Chaque fois que l'auto ralentissait à l'approche d'un barrage, il écartait le rideau de la portière et regardait d'un œil morne les soldats qui levaient les obstacles devant la voiture officielle avec un empressement ostensible. Une seule fois, pour se donner de l'importance, un gradé réclama au chauffeur les cartes de service qui servaient de passeport aux agents du ministère de l'Intérieur. Se penchant vers la vitre ouverte, Koutzine lui cria : « C'est avec nous que tu fais du zèle ? Tu ne vois pas à qui tu

t'adresses ? » Le malheureux crut qu'on
allait l'exécuter devant ses hommes et bal-
butia des excuses.

Il y eut d'autres barrages, d'autres ralen-
tissements. La route longeait par moments la
voie ferrée où circulaient les trains poussifs
qui transportaient vers Odessa les munitions
et les pièces d'artillerie fabriquées à Dniepro-
petrovsk, ville interdite aux étrangers. De
loin en loin, la limousine croisait des véhi-
cules de l'armée ou de la milice. Une fois,
elle remonta la longue file d'un convoi arrêté
au bord de la route, les soldats mangeaient
leur repas dans le froid glacial. Ils s'inter-
rompirent pour admirer le modèle prestigieux.

— On comprend mieux notre pays quand
on circule la nuit, déclara Anna qui faisait
des efforts pour oublier sa maison pleine
d'objets abandonnés.

— Voulez-vous dire qu'elle révèle ce que
le jour garde caché ? plaisanta Koutzine.

— C'est mon impression. La nuit dit la
vérité, le jour est un acte de propagande.

— Et toi, Iona, qu'est-ce que tu penses de
ce que tu vois ? reprit Koutzine, qui voulait

150

pousser le jeune homme à livrer quelque chose de lui-même.

— Heu… rien.

— Comment ça, rien ? La Révolution t'a tout donné, tu lui dois tout, mais quand on parle librement, tu gardes le silence. Réponds franchement. Tu es un automate dont on a tourné la clé ou tu as un cerveau ? Quelle est ta ligne de conduite ?

— Je suis les directives du Parti.

— Donc si demain un grand dirigeant soutenait qu'Arkadi Trophimovitch ici présent appartient au bloc des droitiers, tu l'arrêterais ?

La question était audacieuse. Et embarrassante. Le chef se taisait comme s'il n'était pas concerné. Le chauffeur interloqué évita le piège habilement.

— Cela ne peut pas arriver. Le Parti ne se trompe pas.

— Bien répondu. Tu iras loin, conclut Anton, mauvais prophète.

Le revêtement de la route était très souvent abîmé, voire inexistant. Gromov avait trop bu et supportait mal les cahots. Il somnolait en gémissant le visage sur le coude.

— J'ai la nausée ! dit-il soudain.

La voiture ralentit et s'arrêta au début d'un chemin de terre qui s'enfonçait dans l'inconnu. Gromov n'eut que le temps d'ouvrir la portière et de vomir sur l'herbe glacée. En se redressant, il aperçut dans le brouillard – trop loin pour lui ! – un bâtiment éclairé, probablement une caserne ou un poste de la milice. Là-bas, des hommes veillaient, buvaient, bavardaient, torturaient des prisonniers, jouaient aux cartes, lisaient le journal, visaient des nuques, se vantaient de leurs exploits et songeaient à leur avancement. Là-bas, l'irréalité prenait fin, le monde ordinaire suivait son cours.

— Vous allez mieux ? demanda Anton quand Gromov reprit place à côté de lui.

— Qu'est-ce que ça peut vous faire que je me sente bien ou non ?

— Pas d'énervement ! dit Koutzine. Le plus difficile nous attend.

— Vous croyez pouvoir réussir ?

— Avec votre collaboration !

— Et si je la refusais ?

— Je n'ose même pas y penser !

Cette conversation dut sonner étrange-

ment aux oreilles de Prokopenko. Quoique
peu communicatif, il était loin d'être stupide. Depuis le début, il était surpris par les
propos trop libres de ses passagers et l'apa-
thie suspecte de son chef. La vodka n'ex-
pliquait pas tout. Pour avoir souvent
reconduit chez lui le commandant au sortir
des banquets, il le savait arrogant et brutal
dans l'ivresse, n'hésitant pas à gifler des
inconnus ou à donner les ordres les plus
ineptes comme d'aller chasser les chiens
errants au bord du Dniepr. Là, tout au
contraire, résignation, atonie, abattement. A
croire que ce n'était pas lui qui avait l'initia-
tive de ce voyage singulier mais le lieutenant. Cela signifiait-il que Gromov allait
être (ou était déjà) dégommé et que Koutzine lui succéderait ? L'hypothèse était plau-
sible.

Toujours est-il que Mikhaïl perçut la ner-
vosité grandissante du chauffeur et comprit
le danger qui les menaçait tous s'il découvrait
la vérité. Quand le moment serait venu de
passer à l'action, que ferait le jeune homme,
discipliné comme il était ? Mieux valait

éclaircir la situation dans un moment calme plutôt que dans l'urgence.

— Vous a-t-on indiqué la nature de notre mission ? lui demanda Koutzine d'une voix douce.

— Non.

— Je dois vous mettre au courant. Arrêtez-vous. C'est l'affaire d'une minute.

Il se tourna vers la mère de son ami et poursuivit avec cette vivacité enjôleuse qui charmait Anton :

— Chère Anna Vassilieva, excusez ma grossièreté. Il ne vous est pas permis d'entendre nos secrets professionnels. Vous n'êtes pas des nôtres.

Il descendit de la voiture le premier et fit quelques pas dans la nuit qui s'éclaircissait à présent. Le chauffeur parut hésiter, puis se résigna à couper le moteur et les phares, et à rejoindre le lieutenant. Les nuages s'étaient dissipés, les étoiles étaient nombreuses. Depuis quelques mois, pendant les heures de ténèbres où régnait la terreur de masse, les astronomes du deuxième observatoire d'Odessa mettaient à profit l'atmosphère limpide du ciel au-dessus de la mer Noire

pour braquer l'équatorial de 162 milli-
mètres sur les satellites de Jupiter ou sur la
planète rouge. Le résultat de leurs travaux
était signalé dans les *Izvestia* et adressé à
leurs collègues du monde entier pour
démontrer la supériorité de la science soviétique.

Anton, soudain anxieux, souleva le rideau
pour voir les deux hommes qui s'éloignaient
vers un groupe d'arbres, côte à côte, en
conversant. Iona plus lourd, plus terrien.
Micha élancé, presque dansant.

— Vous feriez mieux de me ramener chez
moi ! murmura Gromov dont la lèvre trem-
blait de nouveau. Personne ne saura ce qui
s'est passé entre nous. Et mon intérêt n'est
pas de le faire savoir. Si vous souhaitez mon-
ter en grade, je vous muterai à Vinnitsa où il
y a beaucoup à faire...

Un coup de feu partit du petit bois.

Tous trois regardèrent par la vitre le chemin vide, les étoiles bleues accrochées à la
frondaison des bouleaux. Tout était calme et
désert. La vraie campagne ukrainienne. Le
ciel pur qui faisait le bonheur des astronomes.

Il s'écoula une longue minute puis encore cinq ou six autres, et une dernière isolée, lente, infinie, que chacun mesura aux battements lourds dans sa poitrine. Enfin Koutzine réapparut, les mains souillées par la terre et les feuilles pourries qu'il avait entassées sur le corps tiède du jeune homme. Il ramassa une fine plaque de glace qu'il malaxa pour se nettoyer les mains, puis il sortit les bidons du coffre de la voiture et remplit le réservoir.

— Passez devant ! cria-t-il à Gromov.

Le commandant obéit, l'air hébété, avec une promptitude qui aurait paru comique à un autre moment. Koutzine s'assit au volant et mit en route le moteur.

— Quel idiot ! dit-il en démarrant.

Ils repartirent vers le sud et roulèrent longtemps sans parler. Cette fois c'était Anton qui luttait contre la nausée. Il n'aimait pas quand la réalité s'imposait de cette façon. Désormais tout retour en arrière était exclu.

— Pourquoi « idiot » ? demanda Gromov au bout d'un moment.

— Je lui ai proposé de fuir avec nous…

— Alors ?

— Il m'a sauté dessus…

Anna, sous le coup d'une colère qui débordait, s'adressa à Gromov avec une brusquerie qui surprit les trois passagers :

— Vous dressez les gens comme des chiens, ensuite ils meurent comme des chiens ! Pourquoi sommes-nous privés de libertés ? En quoi cela vous dérange ce qu'on pense, ce qu'on lit, ce qu'on espère ?

— Laisse, maman ! Cela ne sert à rien.

— Et si ça me soulage, moi ? Depuis vingt ans nous cachons nos pensées à nos voisins, à nos proches, à nos enfants. Nous vivons dans la peur d'être dénoncés et faisons semblant de croire à vos mensonges. Pourquoi faut-il un passeport pour se déplacer dans notre propre pays et l'autorisation d'un illettré pour publier un poème d'amour. Si notre pays est l'idéal que nous envie le monde entier, pourquoi n'a-t-on pas le droit d'en sortir ?

— Maman, je t'en prie !

— Quand cesserez-vous de nous tourmenter ? Combien de victimes vous faudra-t-il ?

— Arrête-toi, Micha ! dit Anton. Je me sens mal.

Ils arrivèrent à Odessa au petit matin. Une lumière grise et froide coiffait la ville étendue au pied des collines, accrochant au loin des scintillations de navires car la flotte de la mer Noire veillait au large.

La voiture franchit sans difficulté deux barrages successifs et s'engagea dans les larges avenues où les trams bondés circulaient déjà. Il y avait foule aussi sur les trottoirs. Anna regardait avidement la silhouette des ouvrières qui descendaient vers l'arsenal. Toutes étaient minces, vives, pimpantes, mais vêtues pauvrement, avec un visage déjà fatigué, ou blasé, ou maussade, ou mécontent. La plupart de ces femmes étaient trop jeunes pour se rappeler le passé brillant de la ville. Savaient-elles seulement comment les bolcheviks s'étaient emparés d'Odessa et l'avaient ruinée ? Anna avait vu des soldats en haillons se ruer dans les immeubles des beaux quartiers avec pour idéal de jeter les bourgeois et les professeurs par les fenêtres. Les entrepôts avaient été pillés, les ateliers et les boutiques dévalisés. La région était riche de ses jardins maraîchers, de ses vergers et de ses entreprises d'import-export. La suppression du commerce stoppa l'approvisionnement des magasins, affama la population, dépeupla les terrasses des cafés et changea une cité qui se flattait d'être aussi animée que Paris en une lugubre ville provinciale.

Telles étaient (j'imagine) les pensées d'Anna Vassilieva pendant que Koutzine filait directement vers le port dont l'entrée principale était gardée par des sentinelles. Il montra les ordres de mission, se fit ouvrir la barrière à contrepoids et roula jusqu'à la capitainerie. A cette heure-là les dockers étaient nombreux à décharger ou à suspendre des ballots sous les grues en mouvement. Le passage d'une voiture de dirigeant ne pouvait passer inaperçu.

Prévenu par téléphone, le major Petrouchevski, responsable du port depuis que son chef était accusé d'espionnage, reçut les trois hommes dans son bureau tandis qu'Anna Vassilieva profitait d'un moment de solitude pour se recoiffer et se maquiller les yeux dans la voiture.

Koutzine n'y alla pas par quatre chemins. Parlant au nom du commandant Gromov, il déclara que le major serait jugé sur l'aide qu'il apporterait à une mission de la plus haute importance, que le grand dirigeant en personne suivait de près. Après ce coup de massue, il exigea la réquisition immédiate de l'hydravion qui assurait la ligne Odessa-Sébastopol-Yalta et poursuivait sa route vers Novorossisk et Batoumi. Petrouchevski répondit que l'appareil avait subi une avarie lors de son précédent amerrissage, il fallait trois jours pour le mettre en état de repartir, peut-être seulement deux si l'on doublait les équipes de mécaniciens. Cette nouvelle anéantissait le plan de Koutzine qui consistait à détourner l'hydravion vers les eaux roumaines. Contraint de changer son fusil d'épaule, le lieutenant réclama la liste des navires dont le départ était imminent. Il se trouva que le *Simféropol,* venant de Yalta, appareillait pour Istanbul dans la matinée après être resté deux jours en rade d'Odessa.

— Téléphonez pour qu'il ne parte pas sans nous ! dit Koutzine. Et conduisez-nous au quai d'embarquement !

— Tout de suite, camarades !

Cinq minutes plus tard, les trois fugitifs et leur otage étaient accueillis au pied de la passerelle par le commandant de bord, son second, le chef de la sécurité du paquebot et un officier du NKVD, chargé du contrôle des passagers, qui connaissait la réputation de férocité de Gromov.

La saison des croisières était finie, le paquebot transportait peu de voyageurs. Dans les beaux jours, il était plus ou moins réservé aux touristes européens ou américains attirés par l'exotisme sans danger d'une riviera méconnue et la faible valeur du rouble qui les rendait millionnaires. L'escale à Odessa permettait aux visiteurs de se prendre en photo sur l'une des cent quatre-vingt-douze marches du trop célèbre escalier, de parcourir le quartier juif de la Moldavanka, de louer un parasol sur une plage réservée et de déjeuner avec d'inévitables Natalia, Olga

ou Vera, dans des cours ombragées de platanes comme le fit le jeune Claude Simon qui
ne pouvait rien voir de ce qu'on cachait aux
étrangers. Au cours du bel été 37, la terreur
grande était partout, mille six cents exécutions par jour en moyenne dans l'Union des
Républiques Soviétiques Socialistes, cinquante mille fusillés par mois, mais les jeunes
filles d'Odessa mettaient leurs plus légères
robes de coton pour accueillir les arrivants et,
le soir, du pont des bateaux, pendant que les
haut-parleurs diffusaient des valses joyeuses,
les globe-trotters en complets blancs admi-
raient les manèges illuminés qui tournaient
dans les collines.

A présent le *Simféropol* négligé par les touristes servait d'autobus maritime à des passagers soviétiques qui passaient leurs journées
au bar et dormaient à l'entrepont. Les cabines
de luxe étaient inoccupées. Le commandant
de bord en proposa quatre à ses hôtes, mais
Koutzine voulut partager une suite avec Gromov, sous prétexte qu'ils auraient à travailler
ensemble pendant la traversée.

Après les tensions de la nuit, l'imminence
du départ stimulait Vassiliev comme un

avant-goût de la liberté. Il aida sa mère à prendre possession de sa cabine personnelle à deux hublots, jeta un regard rapide sur la sienne et partit assister à l'appareillage.

Les marins avaient gagné leurs postes sur le pont. La sirène lança son dernier appel. La passerelle fut retirée, l'ancre remonta, les marins enroulèrent les câbles autour des cabestans. Une secousse fit sentir aux passagers que le paquebot s'écartait lentement du quai. Déjà les serveurs en vestes blanches circulaient en portant des rafraîchissements et les haut-parleurs diffusaient des valses russes...

Bientôt il ne restera à commémorer qu'un chagrin englouti dans notre ignorance, un malheur privé de larmes.

Là-haut, des satellites géostationnaires filmeront la fonte des glaces tandis qu'à Paris ou à Londres des commissaires-priseurs adjugeront le fauteuil de Lénine, les binocles de Molotov, la vareuse blanche et le peigne à moustache du grand despote.

Mais l'horloge de l'enfance tout au haut de l'escalier, qui se lèvera dans la nuit pour la remonter en cachette ?

Des mots m'obsèdent, des images. Des scènes, des cris. Ce ne sont pas les souvenirs d'une vie qui a été la mienne, car rien n'aura été à moi dans cette vie. Ce que j'ai vécu est trop vaste, je devais le perdre au début avec cette langue cachée qui ne m'a laissé que des tombes.

Qui chuchote à mon oreille depuis les jours de silence ? Qui se plaint d'être oublié ? Ce livre est mon aventure, mon amour, un chant qui passe.

Quand une main faite d'ombre se pose devant mes yeux, je me poste à la fenêtre du long hiver qui m'attend. J'écoute tomber la neige.

J'ai dans les mains la brocnure en anglais, « *How I escaped the red terror* », signée M. I. K. E. (Mikhaïl Ivanovitch Koutzine, *Exile*[1]). L'auteur évoque en peu de mots les circonstances tragiques de sa tentative de fuite par Istanbul. Selon lui, Gromov réussit à faire savoir au capitaine du navire qu'il était otage d'un trio de criminels. Le bateau allait pénétrer dans les eaux internationales lorsqu'il fut arraisonné par une frégate de la marine soviétique. Un commando d'une dizaine d'hommes grimpa à bord du *Simféropol*. La fusillade éclata immédiatement. Anton et sa mère furent tués sous les yeux de Koutzine qui continua seul un combat

---

1. Exilé.

désespéré dans les coursives avant de recevoir une balle dans le poumon. Après le dernier coup de feu, Gromov sortit de la cabine où il s'était réfugié et retrouva toute sa morgue pour insulter le capitaine qui avait tardé à lancer l'appel radio

La suite est conforme à ce que nous savons de cette terrible période. Les corps d'Anna Vassilieva et de son fils Anton furent jetés dans une fosse, je ne sais où. Gromov reprit la direction du NKVD régional, s'appliqua à créer de toutes pièces des complots imaginaires, fit exécuter en priorité la servante des Vassiliev, la naïve Evguénia qui avait été témoin de sa veulerie. Ce fut son dernier crime. Une semaine plus tard il fut arrêté chez lui et fusillé sur ordre de Moscou comme complice d'une tentative d'évasion.

Koutzine avait été transporté dans le coma à l'hôpital d'Odessa où un chirurgien formé par le vieux docteur Vassiliev lui sauva la vie. Quelques jours plus tard, il fut emmené par les enquêteurs-briseurs qui le torturèrent pendant deux semaines sans obtenir les aveux qu'ils espéraient. Je ne me sens pas le droit de réécrire cette partie de son histoire et préfère traduire mot à mot son témoignage.

« Je connaissais les hommes qui me frappaient jour après jour et qui me brûlaient l'entrejambe avec un briquet. Je les avais côtoyés pendant des années. Nous mangions à la même table au réfectoire. Mais j'ai été condamné à mort par des gens que je n'avais jamais vus. Je n'ai pas été le seul ! On s'est retrouvés à deux ou trois cents, entassés dans des camions. On avait les mains liées dans le dos par du fil de fer. Il y avait au moins dix camions, plus deux ou trois remplis de soldats. On a roulé longtemps dans la nuit. On nous avait pris nos manteaux, on avait froid. On nous a fait descendre à coups de crosse. Les fosses étaient déjà creusées, un trou immense, plus large qu'un quai de gare. Peut-être qu'il y avait déjà des corps jetés dedans, je ne sais pas. Je n'ai pas osé regarder. Le premier rang s'est aligné, j'en faisais partie, les tueurs venaient par-derrière et tiraient dans la nuque une seule fois avec un petit revolver. On n'avait pas le droit de tourner la tête pour voir les autres. J'ai encore dans l'oreille le bruit des détonations successives...

Terreur grande

Je respirais vite, j'avais peur, je pensais au gars qui arrivait derrière mon dos. Au moment précis où il a levé la main pour tirer, j'ai plongé dans la fosse, la balle m'a arraché un bout de l'oreille, et je suis tombé au milieu des camarades. Je pensais que le soldat allait m'achever. Mais les phares des camions éclairaient les prés et les arbres, la fosse était dans le noir, il ne voyait rien, il ne savait pas où tirer. Et puis des corps me sont tombés dessus et m'ont recouvert. Puis la terre en vrac. J'ai eu la chance qu'un cadavre forme comme un pont au-dessus de moi, ça m'a permis de respirer. Quand les camions sont repartis, j'ai senti la vibration à travers la fosse, j'ai commencé de pousser avec les pieds et j'ai réussi à remonter petit à petit. Il n'y avait pas une grande épaisseur de terre et elle était fraîche.

...

Je crois qu'ils avaient l'intention de revenir le lendemain avec des engins pour tasser la terre et planter dessus des bouleaux. Quand j'ai réussi à hisser la tête hors du trou, j'avais peur qu'ils aient laissé des gardiens armés de fusils. Mais tout était calme dehors. Dans la fosse, il y avait bien des bruits étranges. Mais qu'est-ce que j'y pouvais, les bras liés dans le dos ? Je me suis débarrassé de toute la terre que j'ai pu, en me secouant. J'en avais dans les yeux, c'était à crier, mais là rien à faire. J'ai avancé droit devant moi, en m'éloignant de la route. J'ai marché une heure ou deux, mais je n'ai pas fait beaucoup de chemin, je me traînais.

J'avais aperçu une isba à demi cachée par les arbres. Je me suis approché, j'ai donné des coups de pied dans la porte. Une vieille femme est sortie. Quand elle m'a vu couvert de terre, elle a lâché sa bougie en poussant un cri, persuadé que j'étais un revenant et que je lui annonçais sa dernière heure. Comme elle répétait mon Dieu, mon Dieu, fais de moi ce que tu as prévu, j'ai pensé qu'elle faisait partie des vieux-croyants. Je lui ai dit, au nom du Christ, sauvez-moi ! Je ne suis pas un démon. Elle m'a fait entrer, elle a coupé le fil de fer, elle m'a servi à manger et m'a traité comme un fils.

...

Parfois, avant de m'endormir, je me dis que je retrouverai un jour le type qui tenait le revolver juste dans mon dos... Je n'ai pas de haine contre lui. Je voudrais juste savoir s'il n'aurait pas fait exprès de me laisser le temps de sauter dans la fosse... Ce serait une joie pour moi de penser qu'il m'aurait épargné... volontairement... »

Koutzine resta chez la vieille-croyante sans être inquiété car il n'était pas recherché. Un petit jardin potager, une carabine qui datait de l'époque de Makhno, du goût pour la solitude et le don de se déplacer en forêt lui permirent de mener une existence d'homme des bois pendant quatre ans. Lorsque sa bienfaitrice mourut dans son sommeil, il l'enterra derrière l'isba et planta une croix sur la terre remuée. Peut-être se souvint-il à cette occasion du jeune Prokopenko qu'il avait recouvert de terre et de feuilles après l'avoir tué pour rien.

Un matin – c'était à l'automne 1941 – il fut réveillé par un grondement qui s'amplifia tout le jour. D'abord il crut que les blindés de l'Armée rouge allaient renforcer la frontière mais le bruit venait de l'ouest. Alors il comprit que son heure était arrivée.

Il passa ses meilleurs habits, prit de la nourriture dans un sac, ferma l'isba et se porta à la rencontre des soldats roumains qui allaient occuper Odessa. Il fut arrêté sur la route en même temps que d'autres civils mais on le relâcha rapidement parce qu'il parlait la langue des envahisseurs, qui était sa langue maternelle. Il est probable qu'il servit alors d'interprète à des officiers, obtenant ainsi le laissez-passer nécessaire pour circuler dans la région sans être suspect. Un soir, se trouvant au bord de la mer, il détacha une embarcation de pêcheur et risqua une nouvelle fois sa vie pour rejoindre la Turquie en évitant d'approcher des côtes bulgares. Je suppose que les services secrets américains installés à Istanbul le recrutèrent dès cette époque.

Quand il va dans la montagne, les gens parlent dans son dos. « C'est lui l'enfant de la steppe, de la nuit et de l'exil, un fou vieilli dans l'orage, qui a perdu sa partition. »

Quand il va dans la montagne, les gens s'effraient dans son dos. « Où va-t-il alors que l'ombre a dévoré le soleil ? »

Il court au-devant des terres que la haine a morcelées, il court au-devant des livres que personne n'a écrits.

Il ne court plus, il trébuche mais trébucher a son prix quand la main du temps comme une herbe se pose devant ses yeux.

San Diego, Gjatsk, Génolhac
Juin 2008/mars 2010

Cet ouvrage a été imprimé en France
par CPI Bussière
à Saint-Amand-Montrond (Cher)
en janvier 2011

Composé par IGS-CP à l'Isle-d'Espagnac (16)

N° d'Édition : 16572. — N° d'Impression : 110221/1.
Dépôt légal : février 2011.